RAY BRADBURY

Short stories / Nouvelles

Présentation, notes et traduction
par
Annie Richelet

PRESSES POCKET

Les langues pour tous

Collection dirigée par Jean-Pierre Berman,
Michel Marcheteau et Michel Savio

ANGLAIS

- ☐ Pour débuter (ou tout revoir) : • **40 leçons**
- ☐ Pour mieux s'exprimer et mieux comprendre :
  - **Communiquer**
- ☐ Pour se perfectionner et connaître l'environnement :
  - **Pratiquer l'anglais** • **Pratiquer l'américain**
- ☐ Pour évaluer et améliorer votre niveau :
  - **Score** (200 tests d'anglais)
- ☐ Pour aborder la langue spécialisée :
  - **L'anglais économique & commercial** (20 dossiers)
  - **La correspondance commerciale (GB/US)**
  - **Dictionnaire économique, commercial et financier**
  - **Dictionnaire de l'anglais de l'informatique**
- ☐ Pour s'aider d'ouvrages de référence :
  - **Dictionnaire d'anglais d'aujourd'hui**
  - **Grammaire de l'anglais d'aujourd'hui**
  - **Correspondance pratique pour tous**
  - **L'anglais sans fautes**
  - **La Prononciation de l'anglais**
- ☐ Pour prendre contact avec des œuvres en version originale :
  - **Série bilingue :**

GB	US
• Anglais par les chansons (GB/US) • Bilingue Anglais scientifique (US/GB) • Nouvelles (US/GB) I, II	
Dickens (Ch.) : Contes **Doyle (C.)** : Nouvelles I, II, III, IV	Amérique à travers sa presse (l')
Grands maîtres de l'insolite (US/GB)	
Greene (G.) : Nouvelles **Lawrence (D.H.)** : Nouvelles **Kipling (R.)** : • Nouvelles • Le livre de la jungle **Mansfield (K)** : • l'Aloès • La Garden Party (etc.) **Maugham (S.)** : Nouvelles I **Stevenson (R.L.)** : Dr Jekyll et M. Hyde **Wilde (O.)** : • Nouvelles • Il importe d'être constant	**Bellow (S.)** : Nouvelles (à par.) **Bradbury (R.)** : Nouvelles (à par.) **Fitzgerald (S.)** : Le diamant gros comme le Ritz **Highsmith (P.)** : Nouvelles I, II, III, IV **Hitchcock (A.)** : Nouvelles **James (H.)** : Le Tour d'écrou **King (S.)** : Nouvelles (à par.) **London (J.)** : Nouvelles **Nouvelles classiques (US)** **Twain Mark** : Nouvelles

- ☐ Pour les « Juniors » (à partir de 8 ans)
  - **Cat you speak English ?**

Autres langues disponibles dans les séries
de la collection **Les langues pour tous**

Allemand - Arabe - Espagnol - Français - Italien
Latin - Néerlandais - Portugais - Russe

Sommaire

■ Comment utiliser la « série Bilingue » 5
■ Signes et abréviations - prononciation 6
■ Préface 7
■ Chronologie et filmographie 9

The Murderer — L'assassin 11
Révisions 36

A Sound of Thunder — Un coup de tonnerre 37
Révisions 76

August 1999 : The Earth Men — Août 1999 : les hommes de la Terre 77
Révisions 120

December 2005 : The Silent Towns — Décembre 2005 : les villes muettes 121
Révisions 152

The Long Rain — La pluie 153
Révisions 194

■ Index 195

ISBN-2-266-02552-X

Comment utiliser la série « Bilingue » ?

Cet ouvrage de la série « Bilingue » permet aux lecteurs :

- d'avoir accès à la version originale de nouvelles de Ray Bradbury, et d'en apprécier, dans les détails, la forme et le fond.
- d'améliorer leur connaissance de l'anglais, en particulier dans le domaine du vocabulaire dont l'acquisition est facilitée par l'intérêt même du récit, et le fait que mots et expressions apparaissent en situation dans un contexte, ce qui aide à bien cerner leur sens.

Cette série constitue donc une véritable méthode d'auto-enseignement, dont le contenu est le suivant :

- page de gauche, le texte en anglais ;
- page de droite, la traduction française ;
- bas des pages de gauche et de droite, une série de notes explicatives (vocabulaire, grammaire, rappels historiques, etc.).

Les notes de bas de page et la liste récapitulative à la fin de l'ouvrage aident le lecteur à distinguer les mots et expressions idiomatiques d'un usage courant et qu'il lui faut mémoriser, de ce qui peut être trop exclusivement lié aux événements et à l'art de l'auteur.

A la fin de chaque nouvelle une page de révision offre au lecteur une série de phrases types, inspirées du texte, et accompagnées de leur traduction. Il faut s'efforcer de les mémoriser.

Il est conseillé au lecteur de lire d'abord l'anglais, de se reporter aux notes et de ne passer qu'ensuite à la traduction ; sauf, bien entendu, s'il éprouve de trop grandes difficultés à suivre le texte dans ses détails, auquel cas il lui faut se concentrer davantage sur la traduction, pour revenir finalement au texte anglais, en s'assurant bien qu'il en a maintenant maîtrisé le sens.

Signes et abréviations utilisés dans les notes

▲	faux ami	*lit.*	littéralement
⚠	attention à	*m. à m.*	mot à mot
=	égal	*p.p.*	participe passé
≠	contraire, antonyme	*pl.*	pluriel
adj.	adjectif	*qqn*	quelqu'un
adv.	adverbe	*qqch.*	quelque chose
arg.	argot	*so*	*someone*
cf.	confer (voir)	*(US)*	américain
fam.	familier	*(GB)*	britannique
inf.	infinitif		

Prononciation

Sons voyelles

[ɪ] **pit**, un peu comme le *"i"* de *"site"*

[æ] **flat**, un peu comme le *"a"* de *"patte"*

[ɒ] ou [ɔ] **not**, un peu comme le *"o"* de *"botte"*

[ʊ] ou [u] **put**, un peu comme le *"ou"* de *"coup"*

[e] **lend**, un peu comme le *"è"* de *"très"*

[ʌ] **but**, entre le *"a"* de *"patte"* et le *"eu"* de *"neuf"*

[ə] jamais accentué, un peu comme le *"e"* de *"le"*

Voyelles longues

[iː] **meet** [miːt] cf *"i"* de *"mie"*

[ɑː] **farm** [fɑːm] cf *"a"* de *"larme"*

[ɔː] **board** [bɔːd] cf *"o"* de *"gorge"*

[uː] **cool** [kuːl] cf *"ou"* de *"mou"*

[ɜː] ou [əː] **firm** [fəːm] cf *"e"* de *"peur"*

Semi-voyelle

[j] due [djuː], un peu comme *"diou..."*

Diphtongues (voyelles doubles)

[ɑɪ] **my** [mai], cf *"aïe !"*
[ɔɪ] **boy**, cf *"oyez !"*
[eɪ] **blame** [bleim] cf *"eille"* dans *"bouteille"*
[aʊ] **now** [naʊ] cf *"aou"* dans *"caoutchouc"*
[əʊ] ou [əu] **no** [nəʊ], cf *"e"* + *"ou"*
[ɪə] **here** [hiə] cf *"i"* + *"e"*
[eə] **dare** [deə] cf *"é"* + *"e"*
[ʊə] ou [uə] **tour** [tuə] cf *"ou"* + *"e"*

Consonnes

[θ] **thin** [θin], cf *"s"* sifflé (langue entre les dents)
[ð] **that** [ðæt], cf *"z"* zézayé (langue entre les dents)
[ʃ] **she** [ʃiː], cf *"ch"* de *"chute"*
[ŋ] **bring** [briŋ], cf *"ng"* dans *"ping-pong"*
[ʒ] **measure** [ˈmeʒə], cf le *"j"* de *"jeu"*
[h] le **h** se prononce ; il est nettement expiré

* indique que le **r**, normalement muet, est prononcé en liaison ou en américain

Préface

Ray Douglas Bradbury est né en 1920, à Waukegan, dans l'Illinois. Dès son plus jeune âge, il est fasciné par la planète Mars et montre un goût prononcé pour les récits d'aventures. En 1932, à douze ans, il décide qu'il écrira des contes.

Après des études secondaires à Los Angeles, années pendant lesquelles se développe sa passion pour les B.D. de science-fiction, il quitte l'école à dix-huit ans et se met à écrire, vivant chichement comme vendeur de journaux pendant quelques années.

Ses premiers récits paraissent dans les revues de science-fiction de l'époque, telles que *Weird Tales* et *Dime Detective*. Il est plusieurs fois primé pour ses nouvelles entre 1946 et 1953. C'est en 1950, avec *The Martian Chronicles*, recueil dans lequel Bradbury rassemble une série de courts récits dont l'action se déroule sur Mars, qu'il atteint à la célébrité.

Auteur fécond, il a publié, jusque dans les années 70, des nouvelles et des romans de science-fiction, mais aussi quelques pièces de théâtre dont il a souvent réalisé lui-même la mise en scène, et écrit des scénarios pour le cinéma et la télévision. Après un très long silence, il a récemment fait paraître un nouveau roman, partiellement autobiographique, *Death is a Lonely Business*.

Parce que pour lui la S.F. n'était qu'un moyen d'expression littéraire parmi d'autres, Ray Bradbury a su donner au genre ses lettres de noblesse. On chercherait en vain dans son œuvre les stéréotypes du genre. Aucun de ses récits n'est seulement froidement descriptif : beaucoup sont empreints de poésie. Les personnages de « La pluie » ou des « Hommes de la Terre » sont loin d'être de victorieux héros bardés de gadgets pseudo-scientifiques parcourant le cosmos dans des machines futuristes. La plupart du temps, l'existence des fusées et du matériel technique n'est que suggérée par l'auteur. Et ce n'est pas par le recours à un jargon technologique qu'il obtient la distanciation par rapport au réel, nécessaire pour dépayser le lecteur, mais par l'emploi de répétitions et de retours et par l'usage fréquent, parfois même un peu artificiel, d'images et de métaphores élaborées, ainsi que par un choix minutieux de mots très concrets qu'il utilise en dehors de leur registre habituel. Son style est un subtil mélange de tendresse, de malice, de poésie et d'un humour poussé parfois jusqu'à la satire.

Mais loin d'être seulement un grand écrivain de science-fiction, Bradbury sait aussi remarquablement mettre en scène les enfants, les adolescents et leurs rêves, les vieilles gens confrontés à la solitude et à la mort, les humbles et les simples. Le regard qu'il porte sur eux saisit avec une sensibilité malicieuse aussi bien leurs défauts et leurs faiblesses que leurs qualités et leur grandeur. On lira avec profit les recueils *Medecine for Melancholy* ou *The Golden Apples of the Sun*.

Empruntant à la fois aux traditions de la S.F., du conte moral et du fantastique, l'œuvre de Bradbury est conçue comme une critique du présent plutôt qu'axée sur le futur. La réflexion morale est toujours sous-jacente au texte et l'on devine que les choix de l'auteur se portent plutôt sur les valeurs traditionnelles du passé que sur l'avenir et le progrès scientifique (voir « L'assassin »). La conquête du cosmos n'apparaît d'ailleurs jamais dans ses ouvrages comme une véritable victoire de l'homme.

Passionné par le devenir de l'homme, Bradbury ne cache pas une certaine inquiétude quant à l'avenir de l'humanité, non qu'il mette en doute les valeurs cachées au fond du cœur humain : bonté, amour, courage, générosité... mais il craint qu'un jour nous ne soyons dépassés par les machines que nous avons construites et que l'homme ne se laisse griser et détruire par la technologie.

Les nouvelles que nous présentons ici ont paru en livre de poche aux États-Unis (Panther Books, Granada Publishing). Elles sont tirées respectivement des recueils : *The Golden Apples of the Sun*, pour « L'assassin » et « Un bruit de tonnerre » ; *The Illustrated Man*, pour « La Pluie », et *The Martian Chronicles*, pour « Les hommes de la Terre » et « Les villes muettes ».

Professeur d'anglais, diplômée de l'université de Cambridge, Annie Richelet a enseigné le français à Amsterdam, puis à Miami. Membre de l'Association française des professeurs de langues vivantes, elle s'intéresse particulièrement aux mécanismes d'acquisition de la langue anglaise par les très jeunes enfants.

Chronologie et filmographie

1920	Naissance à Waukegan, Illinois.
1934	Sa famille émigre à Los Angeles.
1941	Première parution d'un conte : « Le pendule » dans *Super Science Stories.*
1947	Ray Bradbury se marie. Il aura quatre enfants.
1948	Publication, en magazine, de *Dark Carnival*, série de contes.
1950	Sortie de son premier recueil de nouvelles : *The Martian Chronicles.*
1951	Première publication de *Farenheit 451* repris en recueil en 1953. *The Illustrated Man.*
1953	Lauréat du Benjamin Franklin Award pour la meilleure nouvelle parue dans un magazine. Publie *The Golden Apples of the Sun.*
1955	Publication de *The October Country.*
1956	Sortie du film *Moby Dick*, d'après l'œuvre de Melville et dont Bradbury a écrit le scénario.
1957-1959	Publication de *Dandelion Wine* et *Medecine for Melancholy.*
1962	*Something wicked this way comes (La foire des ténèbres)*, roman fantastique.
1964	*The Machineries of Joy*, recueil de nouvelles.
1966	Sortie du film *Farenheit 451*, mis en scène par François Truffaut.
1970	*L'Homme tatoué*, film de Jack Smight, d'après l'ouvrage de Bradbury *The Illustrated Man.*
1973	*Théâtre pour demain... et après.*
1980	Sortie aux E.U. de *Martian Chronicles*, mises en scène par Michael Anderson. Publication de « The Stories of Ray Bradbury ».
1983	*La Foire des ténèbres*, film de Jack Creighton d'après le roman *Something Wicked this Way Comes*, scénario de l'auteur.
1985	Publication de *Death is a Lonely Business*, roman autobiographique.
1999	Date probable de sa mort, conjecturée par l'auteur lui-même, et qui est aussi l'année où débutent *Les Chroniques martiennes.*

The Murderer

L'assassin

Music moved with him in the white halls. He passed an office door : "The Merry Widow Waltz." Another door : "Afternoon of a Faun." A third : "Kiss me again." He turned into a cross corridor : "The Sword Dance" buried[1] him in cymbals, drums[2], pots, pans[3], knives, forks, thunder, and tin lightning. All washed away as he hurried through an anteroom[4] where a secretary sat nicely[5] stunned[6] by Beethoven's Fifth. He moved himself before her eyes like a hand ; she didn't see him.

His wrist radio buzzed.

"Yes ?"

"This is Lee, Dad. Don't forget about my allowance[7]."

"Yes, son, yes. I'm busy."

"Just didn't want you to forget, Dad," said the wrist radio. Tchaikovsky's "Romeo and Juliet" swarmed[8] about the voice and flushed into the long halls.

The psychiatrist moved in the beehive of offices, in the cross-pollination[9] of themes, Stravinsky mating[10] with Bach, Haydn unsuccessfully repulsing Rachmaninoff, Schubert slain[11] by Duke Ellington. He nodded to the humming secretaries and the whistling doctors fresh[12] to their morning work. At his office he checked a few papers with his stenographer[13], who sang under her breath, then phoned the police captain upstairs. A few minutes later a red light blinked, a voice said from the ceiling :

"Prisoner delivered[14] to Interview Chamber Nine."

He unlocked the chamber door, stepped in, heard the door lock behind him.

"Go away," said the prisoner, smiling.

---

1. **to bury** ['beri] : *enterrer, inhumer, ensevelir. Un enterrement :* a burial ['berial].
2. **drums :** *tambours.* Dans un orchestre, *la batterie.*
3. **pots, pans :** l'expression désigne en vrac tous les *récipients* de cuisine.
4. **anteroom :** *antichambre, vestibule.* Désigne aussi (ici) *un bureau de réception, un secrétariat.*
5. **nicely :** ⚠ (ici) complètement, totalement. Well, you're nicely wet, *dis donc, tu es fameusement trempé.*
6. **stunned :** de to stun, *abasourdir, ahurir, subjuguer, abrutir, droguer.*
7. **allowance :** *allocation, indemnité, pension.*
8. **to swarm :** 1) *s'agglutiner, se presser en foule ;* 2) *grouiller, fourmiller.* A swarm : *un essaim.*

La musique le suivait le long des couloirs blancs. Il passa devant la porte d'un bureau. On entendait la valse de *La Veuve joyeuse*. Devant une autre, c'était *Prélude à l'après-midi d'un faune*. Devant la troisième : *Encore un baiser*. Il tourna dans un couloir transversal : *La Danse du sabre* le submergea ; cymbales, tambours, batterie de cuisine, couteaux et fourchettes, coups de tonnerre et éclairs de fer-blanc. Tout cela s'éteignit comme il traversait rapidement le bureau d'une secrétaire. Elle écoutait, complètement envoûtée, la *Cinquième* de Beethoven. Il se dandina devant elle comme on passe la main devant des yeux. Elle ne le remarqua même pas.

Son bracelet-radio émit un bourdonnement.

« Oui ?

— C'est Lee, papa. N'oublie pas mon argent de poche.

— D'accord, fiston, d'accord. Je suis occupé.

— C'est juste pour que tu n'oublies pas, papa », émit le bracelet-radio. En un essaim de notes, le *Roméo et Juliette* de Tchaïkovski couvrit la voix et s'engouffra dans les longs corridors.

Le psychiatre parcourait la ruche des bureaux, sous un chassé-croisé de thèmes musicaux où Stravinski s'accordait avec Bach, Haydn tentait en vain de repousser Rachmaninov et Duke Ellington massacrait Schubert. Il salua les secrétaires qui chantonnaient et les docteurs qui sifflotaient, entamant leur journée de travail. Dans son bureau, il vérifia quelques papiers avec sa secrétaire qui fredonnait en sourdine, puis il téléphona au capitaine de police à l'étage au-dessus. Quelques minutes plus tard, un voyant rouge s'alluma et une voix tomba du plafond :

« Prisonnier amené cellule d'interrogatoire numéro 9. »

Il déverrouilla la cellule, entra, entendit la porte se refermer à clé derrière lui.

« Allez-vous-en », dit le prisonnier en souriant.

---

9. **cross-pollination :** *pollinisation croisée des abeilles.* **Cross :** *oblique, transversal.*
10. **mate with :** 1) *s'unir, s'associer ;* 2) *s'accoupler, s'apparier.*
11. **slain :** de to slay, slew [slu:], slain : *abattre, assassiner, massacrer.*
12. **fresh :** ⚠ ici : *récemment arrivés ;* 1) *pur* (air), *frais* (œuf, etc.) ; 2) *nouveau, supplémentaire ;* **fresh news,** des nouvelles récentes.
13. **stenographer :** US : *sténo(graphe) ;* GB : **shorthand typist.**
14. **to deliver :** ⚠ 1) *livrer, distribuer ;* 2) *délivrer, sauver.* **He was delivered up to the Police,** *il fut livré à la police.*

The psychiatrist was shocked by that smile. A very sunny, pleasant warm thing[1], a thing that shed[2] bright light upon the room. Dawn among[3] the dark hills. High noon at midnight, that smile. The blue eyes sparkled serenely above that display of self-assured dentistry[4].

"I'm here to help you," said the psychiatrist, frowning. Something was wrong with[5] the room. He had hesitated the moment he entered[6]. He glanced around. The prisoner laughed. "If you're wondering why it's so quiet in here, I just kicked the radio to death[7]."

Violent, thought the doctor.

The prisoner read this thought, smiled, put out a gentle hand. "No, only to machines that yak-yak-yak."

Bits of the wall radio's tubes[8] and wires lay on the gray carpeting. Ignoring[9] these, feeling that smile upon him like a heat lamp, the psychiatrist sat across from his patient in the unusual silence which was like the gathering of a storm.

"You're Mr. Albert Brock, who calls himself The Murderer ?"

Brock nodded pleasantly. "Before we start..." He moved quietly and quickly to detach the wrist radio from the doctor's arm. He tucked it in his teeth like a walnut, gritted and heard it crack[10], handed it back to the appalled psychiatrist as if he had done them both a favor. "That's better."

The psychiatrist stared at the ruined machine. "You're running up quite a damage bill[11]."

---

1. **a very ... thing :** m. à m. : *« une chose très ensoleillée, agréable et chaleureuse ».*
2. **to shed, shed, shed :** verser. To shed light, *inonder de lumière.*
3. **among :** *parmi.* On dirait plus couramment : **upon.**
4. **display ... dentistry :** m. à m. : *« cet étalage d'une dentition pleine d'assurance ».* Dentistry : *la dentition. Les dents :* teeth (a tooth).
5. **to be wrong :** *ne pas aller, ne pas marcher.* What's wrong with him ? *qu'est-ce qu'il a ?* ⚠ prép. with.
6. **the moment he entered :** *à l'instant où il entrait.*
7. **kicked ... to death :** m. à m. : *« j'ai tué la radio d'un coup de pied ».*
8. **the wall radio's tubes :** le cas possessif ne s'applique pas

La vue de ce sourire stupéfia le psychiatre. Il faut dire que c'était un sourire radieux, un beau sourire chaleureux qui illuminait la pièce. C'était comme une aurore sur des collines sombres, ce sourire. C'était le soleil à minuit. Les yeux bleus étincelaient, sereins, au-dessus de cette denture qui s'étalait sans vergogne.

« Je suis ici pour vous aider », dit le psychiatre. Il fronça les sourcils. Quelque chose n'allait pas dans la pièce, il avait hésité en y entrant. Il jeta un coup d'œil circulaire. Le prisonnier riait. « Si vous vous demandez pourquoi c'est si calme, ici, c'est que je viens de liquider la radio. »

C'est un violent, pensa le docteur.

Le prisonnier devina sa pensée, sourit et tendit une main amicale. « Non, seulement pour les machines qui n'arrêtent pas de jacasser. »

Des bouts de tubes et des fils provenant de la radio murale gisaient épars sur la moquette grise. Feignant de ne pas les voir, le psychiatre, qui sentait toujours sur lui le sourire, comme une lampe à infrarouge, alla s'asseoir en face de son patient, dans un silence inhabituel qui rappelait la montée d'un orage.

« Vous êtes M. Albert Brock, et vous vous faites appeler "l'assassin" ? »

Brock approuva avec bonne humeur. « Avant de commencer... » Il s'avança tranquillement vers le médecin et, d'un geste rapide, lui détacha le bracelet-radio du poignet. Il le coinça entre ses dents comme une noix, l'écouta craquer, puis il le rendit au psychiatre ahuri, comme s'il venait de leur faire une faveur à tous les deux.

« Voilà qui est mieux. »

Le psychiatre contempla l'objet détruit. « Cela va finir par vous coûter cher.

---

d'ordinaire aux objets. Mais Bradbury en fait des personnages à part entière, d'où l'emploi, plus bas, de **to kill, murder, swallow, strangle**, etc., appliqués à des gadgets.

9. **to ignore : ▲** *ne pas tenir compte de, feindre d'ignorer.* **He simply ignores the rules,** *il tient les règlements pour nuls.* Le français *ignorer, ne pas savoir,* se traduira par : **I don't know, I can't tell.**

10. **gritted ... crack :** m. à m. : *« serra les dents et l'entendit craquer ».*

11. **running ... bill :** m. à m. : *« vous laissez grossir une fameuse note pour détérioration. »* **Damage** (singulier), *les dégâts ;* **damages** (pluriel), *les dommages et intérêts.* **To claim damages,** *réclamer des dommages et intérêts.*

"I don't care," smiled the patient. "As the old song goes : 'Don't Care What Happens to Me !'" he hummed it.

The psychiatrist said : "Shall we start[1] ?"

"Fine. The first victim, or one of the first, was my telephone. Murder most foul[2]. I shoved it in the kitchen Insinkerator[3] ! Stopped[4] the disposal unit[5] in mid-swallow. Poor thing strangled to death. After that I shot the television set !"

The psychiatrist said, "Mmm."

"Fired six shots right through the cathode. Made a beautiful tinkling crash like a dropped chandelier."

"Nice imagery."

"Thanks, I always dreamt of being a writer[6]."

"Suppose you tell me when you first began to hate the telephone."

"It frightened me as a child[7]. Uncle of mine[8] called it the Ghost Machine. Voices without bodies. Scared[9] the living hell out of me. Later in life I was never comfortable. Seemed to me a phone was an impersonal instrument. If it felt like[10] it, it let your personality go through its wires. If it didn't *want* to, it just drained[11] your personality away until what slipped through at the other end was some cold fish of a voice all steel, copper, plastic, no warmth, no reality. It's easy to say the wrong thing on telephones ; the telephone changes your meaning on[12] you. First thing you know[13], you've made an enemy. Then, of course, the telephone's such a *convenient* thing ; it just sits there and *demands* you call someone who doesn't want to be called.

---

1. **shall we start :** shall exprime une suggestion. On répondra par **yes, let's start** ou **all right.**
2. **murder most foul :** (théâtral) *meurtre des plus ignobles.* **Foul** : 1) *nauséabond, fétide, puant ;* 2) *infâme, odieux ;* 3) *déloyal, illicite.*
3. **insinkerator :** jeu de mots sur **sink** (évier) et **incinerator.**
4. **(it) stopped :** élision courante des pron. sujets en langue familière. Plus loin : **I fired, it made, it scared.**
5. **disposal unit :** *système d'évacuation des ordures.* ⚠ Dans les lieux publics, le panneau **Disposal** ne veut pas dire *Servez-vous,* mais *Jetez ici.* **Disposal ground** : *décharge, dépotoir.*
6. **a writer :** notez l'emploi de l'article indéfini. **He's a doctor,** *il est docteur.*

— Ça m'est égal, répondit le patient, souriant. Comme dit la rengaine, "T'inquiète pas de ce qui m'arrive !" » Il se mit à la fredonner.

Le psychiatre reprit : « On commence ?

— D'accord. Ma première, ou l'une de mes premières victimes, a été mon téléphone. Un crime vraiment abject. Je l'ai enfourné dans l'évierbroyeur de la cuisine. Ça a coincé l'avaleur d'ordures en pleine déglutition. Le pauvre truc s'en est étranglé sans retour. Après ça, j'ai descendu le poste de télévision !

— Hmm, fit le psychiatre.

— J'ai tiré six coups en plein dans la cathode. Ça a fait un joli bruit cristallin de verre brisé, comme un candélabre qui tombe.

— C'est joliment tourné !

— Merci, j'ai toujours rêvé d'être écrivain.

— Et si vous me disiez quand vous avez commencé, pour la première fois, à détester le téléphone.

— Il m'a fait peur dès mon plus jeune âge. L'un de mes oncles l'appelait la Machine Fantôme. Des voix sans corps. Ça me foutait une trouille d'enfer. Plus tard dans la vie, je ne me suis jamais senti à l'aise avec le téléphone. Ça me semblait un instrument anonyme. Si ça lui chantait, il laissait votre personnalité filtrer au bout de son fil. S'il n'en avait pas *envie*, il l'évacuait si bien que ce qui s'échappait à l'autre bout, c'était une espèce de voix de pisse-froid, un mélange d'acier, de cuivre et de plastique, sans chaleur, sans réalité. C'est vite fait de dire ce qu'il ne faut pas au téléphone ; l'appareil retourne le sens de ce que vous dites contre vous-même. Avant même de réaliser, vous vous êtes fait un ennemi. Et puis, le téléphone est une chose si *commode* ; il est tout bêtement posé là et il *exige* de vous que vous appeliez quelqu'un qui ne veut pas qu'on l'appelle.

---

7. **as (I was) a child :** *lorsque j'étais enfant.*
8. **(an) uncle of mine :** syn. : **one of my uncles.**
9. **to scare :** *effrayer, épouvanter, terrifier.*
10. **to feel like** + gérondif : *avoir envie de.*
11. **to drain :** *drainer, vider, évacuer les eaux, assécher ;* **drain** : *tuyau de vidange, égout.*
12. **on :** (ici) sens de : **against. We've nothing on him** : *nous n'avons rien contre lui.*
13. **First thing you know :** m. à m. : *la première chose que vous réalisez ; avant de comprendre ce qui vous arrive.*

Friends were always calling, calling calling me. Hell[1], I hadn't any time of my own. When[2] it wasn't the telephone it was the television, the radio, the phonograph. When it wasn't the television or radio or the phonograph it was motion pictures[3] at the corner theater, motion pictures projected, with commercials[4] on low-lying cumulus clouds[5]. It doesn't rain rain any more, it rains soapsuds. When it wasn't High-Fly Cloud advertisements, it was music by Mozzek[6] in every restaurant ; music and commercials on the busses I rode to work[7]. When it wasn't music, it was inter-office communications, and my horror chamber of a radio wrist watch on which my friends and my wife phoned every five minutes. What is there about such 'conveniences' that makes them so *temptingly* convenient ? The average man thinks, Here I am, time on my hands, and there on my wrist is a wrist telephone, so why not just buzz[8] old Joe[9] up, eh ? 'Hello, hello[10] !' I love my friends, my wife, humanity, very much, but when one minute[11] my wife calls to say, 'Where are you *now*, dear' and a friend calls and says, 'Got the best off-color joke[12] to tell you. Seems there was a guy —' And a stranger calls and cries out, 'This is the Find-Fax Poll[13]. What gum are you chewing at this very *instant !*' Well !"

"How did you feel during the week ?"

"The fuse lit[14]. On the edge of the cliff[15]. That same afternoon I did what I did at the office."

"Which was ?"

"I poured[16] a paper cup of water into the intercommunications system."

---

1. **hell :** juron affaibli : *enfer ! diable ! bon sang !*
2. **when... :** le passage suivant décrit l'époque des années 50 et certains termes sont devenus désuets. La nouvelle restant d'actualité, nous avons choisi de moderniser la traduction des termes démodés.
3. **motion picture :** US, *film.*
4. **commercials :** *spots publicitaires*, à la radio, la TV ou au cinéma. Advertisements : *annonces publicitaires.*
5. **low-lying cumulus clouds :** allusion à la mode publicitaire des années 50, où, au cinéma, les réclames s'affichaient sur des nuages blancs avançant sur l'écran.
6. **Mozzek,** jeu de mots sur music et Mosac, société spécialisée, à la même époque, dans les fonds sonores pour lieux publics américains.

Mes amis étaient toujours en train de m'appeler et de m'appeler et de m'appeler. Eh, zut ! Je n'avais plus de temps à moi. Quand ce n'était pas le téléphone, c'était la télé, la radio ou l'électrophone. Quand ce n'était pas la télé, la radio ou l'électrophone, c'étaient les films qui passaient au cinéma du coin, avec les réclames projetées sur des cumulus défilant sur l'écran. Ce n'était plus de la pluie qui tombait, c'était de la lessive. Quand ce n'était pas de la réclame sur nuages volants, c'était la musique de Mossek qui me suivait dans tous les restaurants ; de la musique et de la publicité dans le bus qui m'emmenait au travail. Quand il n'y avait pas de musique, c'étaient les communications inter-service et ma bête noire de bracelet-radio où mes amis et ma femme m'appelaient toutes les cinq minutes. Qu'est-ce qu'il y a donc dans toutes ces "commodités modernes" qui rende leur commodité si attrayante ? Prenez l'homme moyen, il se dit : Tiens, j'ai du temps à perdre et j'ai un téléphone là, au poignet, pourquoi ne pas appeler ce cher vieux Machin, hein ? "Allô, allô !" J'aime beaucoup mes amis et ma femme et mon prochain, mais quand, à chaque instant, ma femme m'appelle pour me demander "Où es-tu maintenant, chéri ?" et qu'un ami m'appelle pour me dire "J'ai une super-blague à te raconter. C'est l'histoire d'un type..." Et un étranger appelle et beugle "Ici le sondage Cherchfé. Quelle marque de chewing-gum êtes-vous en train de mâcher à cet instant précis ?" Vous comprenez !

— Comment vous êtes-vous senti durant la semaine ?

— La bombe était amorcée. J'étais au bord du gouffre. Ce même après-midi j'ai fait ce que vous savez, au bureau.

— C'est-à-dire ?

— J'ai versé un gobelet plein d'eau dans l'intercom. »

---

7. **I rode to work :** m. à m. : *« que je prenais pour aller travailler ».*
8. **buzz up :** US, fam. pour **to ring up,** *appeler.*
9. **old Joe :** US, fam., *Untel, Machin.* **A joe,** *un type, un mec.*
10. **hello :** ici *allô* et non *bonjour.* Les deux expressions sont identiques en anglais.
11. **one minute :** élision de l'expression : **one minute ... the other minute** : *d'une minute à l'autre, à tout moment.*
12. **off-color joke :** *blague douteuse, salace.* GB : **colour.**
13. **Find-Fax Poll :** jeu de mots par euphonie avec **find facts poll,** « le sondage qui découvre les faits », d'où la traduction. **A poll** [pəul], *un sondage d'opinion.*
14. **the fuse lit :** m. à m. : *« la mèche s'alluma ».*
15. **on the edge of the cliff :** m. à m. : *« au bord de la falaise ».*
16. **to pour :** [pɔːl].

The psychiatrist wrote on his pad.

"And the system shorted[1] ?"

"Beautifully ! The Fourth of July[2] on wheels ! My God, stenographers ran around looking *lost* ! What an uproar !"

"Felt better temporarily, eh ?"

"Fine ! Then I got[3] the idea at noon of stomping[4] my wrist radio on the sidewalk[5]. A shrill voice was just yelling out of it at me, 'This is People's Poll Number Nine. What did you eat for lunch ?' when I kicked the Jesus out of the wrist radio !"

"Felt even *better*, eh ?"

"It *grew* on me !" Brock rubbed his hands together. "Why didn't I start a solitary revolution, deliver man from certain 'conveniences'[6] ? 'Convenient for who ?' I cried. Convenient for friends : 'Hey, Al, thought I'd call[7] you from the locker room out here at Green Hills. Just made a sockdolager[8] hole in one ! A hole in one, Al ! A *beautiful* day. Having a shot[9] of whiskey now. Thought you'd want to know, Al !' Convenient for my office, so when I'm in the field[10] with my radio car there's no moment when I'm not in touch. In *touch ! There's* a slimy phrase[11]. Touch, hell. *Gripped !* Pawed, rather. Mauled and massaged and pounded by FM voices. You can't leave your car without checking in[12] : 'Have stopped to visit gas-station[13] men's room.' 'Okay, Brock, step on it !' 'Brock, what *took* you so long ?' 'Sorry, sir.' 'Watch it next time, Brock.' *'Yes, sir !'* So, do you know what I did, Doctor ?

---

1. **to short :** abréviation courante du verbe **to short-circuit** : *(se) mettre en court-circuit.*
2. **the Fourth of July :** fête de l'indépendance américaine (Independance Day), célébrée par des feux d'artifice, défilés, orchestres... **On wheels** : fam., *le mieux qu'on puisse faire, très réussi, en beauté...*
3. **I got :** US ; GB : I had.
4. **to stomp :** *frapper du pied par terre, écraser du pied, piétiner.* Syn. : to stamp.
5. **sidewalk :** US : *trottoir ;* GB : *pavement. La chaussée :* US : pavement, GB : road, street.
6. **conveniences :** *les commodités modernes* ; tous les appareils et gadgets ménagers ou autres qui sont supposés nous simplifier la vie. **Convenient** : *pratique, commode.*
7. **thought I'd call :** syn : I thought of calling you.
8. **sockdolager :** US, subst. employé ici comme adj. : *qqch. de*

Le psychiatre écrivit dans son carnet.

« Et ça a détraqué le système ?

— En beauté ! Le 4 juillet comme sur des roulettes ! Les secrétaires qui couraient dans tous les sens, l'air égaré ! Quelle panique !

— Et vous vous êtes senti mieux, momentanément, non ?

— Parfaitement bien ! Et puis, à midi, j'ai eu l'idée de piétiner mon bracelet-radio, sur le trottoir. Il en sortait justement une voix perçante qui braillait : "Voici le sondage populaire n° 9. Qu'avez-vous mangé à midi ?" lorsque je lui ai fait rendre l'âme.

— Vous vous êtes senti encore mieux, hein ?

— Oui, ça me gagnait ! » Brock se frotta les mains.

« Pourquoi ne pas déclencher une croisade solitaire, délivrer l'homme de certaines "commodités" ? "Commodes pour qui ?" criai-je. Commodes pour les amis : "Hé, Al, j'ai pensé à t'appeler du vestiaire, ici, à Green Hills. Je viens de faire un point fantastique en une fois. Un trou en un coup, Al ! C'est un jour extraordinaire. Et maintenant je suis en train de me taper un whisky. J'ai pensé que tu serais content de le savoir, Al !" Commode pour eux, au bureau, pour qu'il n'y ait pas un instant, quand je suis en tournée, dans ma voiture-radio, où nous ne soyons pas en contact. "En contact" ! Quelle expression écœurante. En contact, bon sang ! Accroché ! Tripoté, plutôt. Malmené et malaxé et martelé par les voix sur les ondes. Vous ne pouvez pas quitter votre voiture sans l'annoncer : "Arrêt à la station-service pour faire un tour aux toilettes. — O.k., Brock, grouillez-vous !" "Brock, qu'est-ce qui vous a pris tellement de temps ? — Désolé, patron ! — Faites attention la prochaine fois, Brock. — Oui, patron ! " Aussi, savez-vous ce que j'ai fait, docteur ?

---

remarquable, de définitif, coup fumant. Il s'agit d'un point au golf.

9. **a shot :** fam. : *une rasade, une lampée.* **Wiskey** : orth. américaine et irlandaise de **whisky.**

10. **in the field :** 1) *en campagne* (militaire) ; 2) *en démarchage, en tournée de clientèle.*

11. **phrase : ▲** *expression, tournure, locution. Une phrase :* a sentence. A phrase book : *un recueil d'expressions.*

12. **check in :** *se présenter au contrôle, à l'enregistrement* (à l'hôtel, aéroport, etc.). Ici : *s'annoncer (≠* **check out,** *quitter) sur la fréquence.* **To check out of a hotel :** *quitter, payer la note.*

13. **gas-station :** US ; GB : **filling-station** : *station-service. Essence :* US : **gas** ; GB : **petrol.**

I bought a quart[1] of French chocolate ice cream and spooned it into the car radio transmitter."

"Was there any *special* reason for selecting[2] French chocolate ice cream to spoon into the broadcasting unit ?"

Brock thought about it and smiled. "It's my favorite flavor[3]."

"Oh," said the doctor.

"I figured[4], hell, what's good enough for me is good enough for the radio transmitter."

"What made you think of spooning *ice cream* into the radio ?"

"It was a hot day."

The doctor paused.

"And what happened next ?"

"Silence happened[5] next. God, it was *beautiful.* That car radio cackling all day, Brock go here, Brock go there, Brock check in, Brock check out, okay Brock, hour lunch, Brock, lunch over, Brock, Brock, Brock. Well, that silence was like putting ice cream in my ears."

"You seem to like ice cream a lot."

"I just rode[6] around feeling of[7] the silence. It's a big bolt of the nicest, softest flannel ever made. Silence. A whole[8] hour of it. I just sat in my car ; smiling, feeling of that flannel with my ears. I felt *drunk*[9] with Freedom !"

"Go on."

"Then I got the idea of the portable diathermy machine. I rented one, took it on the bus[10] going home that night. There sat all the tired commuters[11] with their wrist radios, talking to their wives, saying,

---

1. **a quart (of a gallon) :** US : *0,946 litre* pour un liquide ; *1,101 litre* pour un solide. Le quart anglais est différent.
2. **for selecting :** for + gérondif exprime la cause. Cf. He's in jail for killing a man, *il est en prison pour avoir tué un homme.*
3. **favorite flavor :** GB : favourite flavour.
4. **I figured :** US : I thought, I imagined.
5. **silence happened :** notez la construction personnelle du verbe to happen, alors que la tournure correspondante française est impersonnelle : *il se passe.*
6. **rode :** de to ride, rode, ridden : *circuler* en voiture (ici), bus, métro, taxi, chemin de fer. Around : *aux environs, alentour.*

J'ai acheté un litre de glace française au chocolat et je l'ai enfourné par cuillerées dans l'émetteur radio de la voiture.

— Aviez-vous une raison "particulière" de choisir de la glace française au chocolat pour la verser dans le poste émetteur ? »

Brock réfléchit un instant et sourit : « C'est mon parfum préféré.

— Ah ! fit le docteur.

— Je me suis dit eh, zut ! ce qui est bon pour moi c'est bien assez bon pour la radio de bord.

— Mais qu'est-ce qui vous a fait penser à verser de la "glace" dans l'émetteur radio ?

— Il faisait extrêmement chaud. »

Le docteur marqua une pause.

« Et que s'est-il passé ensuite ?

— Ensuite ? Il y a eu le silence. Dieu, que c'était merveilleux ! Cette radio qui caquetait toute la journée : Brock par-ci, Brock par-là, Brock annoncez-vous, Brock quittez la fréquence. O.k. Brock, déjeuner Brock, pause repas terminée, Brock, Brock, Brock. Eh bien, ce silence, c'était comme si je m'étais mis de la glace dans les oreilles.

— Vous semblez adorer les glaces.

— Ensuite, j'ai roulé au hasard, en savourant le silence. C'était comme un gros bouchon de flanelle, la plus fine et la plus douce jamais tissée. Le silence. Une bonne heure de silence. Je restai dans ma voiture, béat, je goûtais la sensation de cette flanelle dans mes oreilles. Je me sentais "ivre" de liberté.

— Continuez.

— Alors, j'ai eu l'idée de cette machine diathermique portative. J'en ai loué une et je l'ai emportée dans le bus en rentrant chez moi ce soir-là. Tous les banlieusards étaient là, fatigués, leur radio au poignet, parlant à leurs femmes, leur annonçant :

---

7. **to feel of :** (rare), *éprouver, analyser la sensation produite par le toucher.*
8. **whole :** *entier, tout entier, complet.*
9. **to feel, felt, felt** + adj. : *se sentir.* **I feel cold,** *j'ai froid.*
10. **on the bus :** on dira **to travel on a bus, on a train, on a plane,** mais **in a car.**
11. **commuters :** *les banlieusards, les abonnés au chemin de fer.* To commute : *faire un trajet journalier entre la banlieue et le lieu de travail.*

'Now I'm at Forty-third[1], now I'm at Forty-fourth, here I am at Forty-ninth, now turning at Sixty-first.' One husband cursing, 'Well, get *out* of that bar, damn it[2], and get home and get[3] dinner started, I'm at Seventieth !' And the transit-system radio playing 'Tales from the Vienna Woods,' a canary singing words about a first-rate wheat cereal. Then — I switched on my diathermy ! Static[4] ! Interference ! All wives cut off from husbands grousing about a hard day at the office. All husbands cut off from wives who had just seen their children break a window ! The 'Vienna Woods' chopped[5] down, the canary mangled[6] ! *Silence !* A terrible, unexpected silence. The bus inhabitants faced with[7] having to converse with each other. Panic ! Sheer[8], animal panic !"

"The police seized[9] you ?"

"The bus *had* to stop. After all, the music *was* being scrambled[10], husbands and wives *were* out of touch with reality. Pandemonium, riot[11], and chaos. Squirrels chattering in cages ! A trouble unit arrived, triangulated on me instantly, had me reprimanded, fined, and home[12], minus my diathermy machine, in jig time[13]."

"Mr. Brock, may I suggest that so far your whole pattern[14] here is not very — practical ? If you didn't like transit radios or office radios or car business radios, why didn't you join a fraternity of radio haters, start petitions, get legal and constitutional rulings ? After all, this *is* a democracy."

"And I," said Brock, "am that thing called a minority. I *did* join fraternities, picket, pass petitions, take it to court.

---

1. **forty-third :** il s'agit des rues d'une ville américaine, désignées par des numéros.
2. **damn it :** juron, *bon Dieu !* de to damn, *maudire.*
3. **get :** a de très nombreux emplois idiomatiques. Get home : go home. Get dinner started : have dinner started, *prépare le repas.* Get ready, *tiens-toi prêt.*
4. **static :** 1) *électricité statique ;* 2) ici, *parasites* (radio, télé).
5. **to chop :** *couper, trancher, hâcher, débiter.* Chopped wood, *le petit bois.*
6. **mangled :** *mutilé, massacré, estropié.*
7. **to be faced with :** *devoir faire face à, être confronté, acculé à.*
8. **sheer :** *total, absolu.* Sheer madness : *folie pure.*

"Me voici à la Quarante-troisième rue, là je suis à la Quarante-quatrième, à la Quarante-neuvième, là on tourne au niveau de la Soixante et unième." L'un des maris jurait : "Eh bien, sors de ce bar, nom de Dieu, et file préparer le dîner. Je suis à la Soixante-dixième Rue !" Et la radio du bus qui jouait *Les Contes de la forêt viennoise*, et un canari qui articulait des sons pour la réclame d'une marque de céréales de première qualité... Alors... j'ai mis en marche la diathermie ! Parasites ! Interférences ! Les femmes coupées de leurs maris qui se plaignaient de leur dure journée au bureau. Les maris coupés de leurs femmes qui venaient de voir le gosse casser un carreau ! La *Forêt viennoise* abattue, le canari étranglé ! Le silence ! Un silence terrible, inattendu. Les passagers du bus confrontés à la nécessité de converser ! La panique ! Une pure panique animale !

— La police s'est emparée de vous ?

— Le bus a bien dû s'arrêter. Après tout, la musique était brouillée, maris et femmes avaient perdu le contact avec la réalité. C'était le tohu-bohu, l'émeute, le chaos. Des écureuils jacassant dans leur cage ! Une brigade d'intervention arriva, m'encercla instantanément et, en un temps record, je fus admonesté, verbalisé et reconduit chez moi, sans mon appareil diathermique.

— M. Brock, me permettez-vous de vous faire remarquer que, jusqu'ici, votre conduite n'est pas très... logique ? Si vous n'aimiez pas la radio dans les transports en commun ou au bureau ou à bord de votre voiture, pourquoi n'êtes-vous pas devenu membre d'une association des ennemis de la radio, pourquoi n'avoir pas lancé des pétitions, recherché des réglementations légales, constitutionnelles ? Après tout, nous sommes en démocratie.

— Et moi, dit Brock, je suis ce qu'on appelle une minorité. J'ai bien fait partie d'associations, j'ai fait le piquet de grève, j'ai fait passer des pétitions, j'ai lancé des procès.

---

9. **seized :** [siːzd].
10. **was being scrambled :** forme passive progressive. To scramble : *mettre pêle-mêle, embrouiller.* Scrambled eggs : *œufs brouillés.*
11. **to riot :** *déclencher, se livrer à une émeute.* A rioter [ˈraiətə] : *un émeutier.*
12. **had me ... home :** m. à m. : (pop.) *« m'ont fait payer une amende et m'ont reconduit chez moi ».* To fine : *mettre* (à l') *une amende.* A fine : *une amende.*
13. **in jig time :** *en un rien de temps.* Syn : in no time (at all), in less than no time, in a twinkle.
14. **pattern :** *motif, schéma, modèle, structure.*

Year after year I protested. Everyone laughed. Everyone else *loved* bus radios and commercials. *I* was out of step."

"Then you should have taken[1] it like a good soldier, don't you think ? The majority rules."

"But they went too far. If a little music and 'keeping in touch' was charming, they figured a lot would be ten times as[2] charming. I went *wild*[3] ! I got home to[4] find my wife hysterical. *Why ?* Because she had been completely out of touch with me for half a day. Remember, I did a dance on my wrist radio. Well, that night I laid plans to murder my house."

"Are you *sure* that's how you want me to write it down ?"

"That's semantically accurate. Kill it dead[5]. It's one of those talking, singing, humming, weather-reporting, poetry-reading, novel-reciting, jingle-jangling[6], rockaby-crooning-when-you-go-to-bed houses. A house that screams opera to you[7] in the shower and teaches you Spanish in your sleep. One of those blathering caves where all kinds of electronic Oracles make you feel a trifle[8] larger than a thimble, with stoves that say, 'I'm apricot pie, and I'm *done*,' or 'I'm prime roast beef, so *baste* me !' and other nursery gibberish like that. With beds that rock you to sleep[9] and *shake* you awake. A house that *barely* tolerates humans, I tell you. A front door that barks : 'You've mud on your feet, sir !' And an electronic vacuum hound[10] that snuffles around after you from room to room, inhaling every fingernail or ash you drop. Jesus God, *I say*, Jesus God !"

---

1. **should have** + p.p. : exprime le regret ou le reproche.
2. **ten times as :** notez que l'anglais emploie ici un comparatif d'égalité et non de supériorité.
3. **went wild :** to go + adj. : *devenir.* Syn. : **to be getting.**
4. **to :** ⚠ marque ici une constatation et non le but : **I went home and I found.**
5. **kill it dead :** lit. *« la tuer morte ».* Cette structure anglaise très fréquente permet d'exprimer de manière concise et imagée le rapport entre une action et son résultat. Voir plus bas : skake you awake, *vous secoue pour vous réveiller.*
6. **jingle-jangling :** adj. composé avec nom + participe présent. Jingle : 1) *ritournelle publicitaire simpliste ;* 2) *tintement.* To jangle : *rendre des sons discordants, jacasser.*

J'ai protesté année après année. Ça faisait rire tout le monde. Tous les autres "adoraient" la radio dans les bus et la publicité. C'était moi qui n'étais pas dans la danse.

— Alors ne pensez-vous pas que vous auriez dû prendre cela en bon soldat ? Majorité fait loi.

— Mais ils sont allés trop loin. Si c'était charmant d'avoir un peu de musique et de "garder un peu le contact", ils se sont figuré qu'à haute dose, ce serait dix fois plus charmant. Je suis devenu dingue. Quand je suis rentré à la maison, ma femme était hystérique. Pourquoi ? Parce qu'elle avait perdu le contact avec moi pendant une demi-journée. Rappelez-vous, j'avais dansé un pas de deux sur ma montre. Eh bien, ce soir-là, j'ai tiré des plans pour assassiner ma maison.

— Êtes-vous sûr que c'est bien cela que vous voulez que je note ?

— C'est sémantiquement correct. La tuer, bel et bien. C'est une de ces maisons parlantes, chantantes, bourdonnantes qui vous annoncent le temps qu'il fera, vous lisent des poèmes, vous récitent des romans, caquettent des slogans et vous chantent des berceuses quand vous vous couchez. Une maison qui vous déclame des airs d'opéra dans la douche et vous enseigne l'espagnol pendant votre sommeil. Une de ces cavernes jacassantes où toutes sortes d'oracles électroniques vous donnent l'impression d'être à peine plus grand qu'un dé à coudre ; où les fours vous disent "je suis la tarte aux abricots et je suis cuite à point", ou encore "je suis un rôti de première qualité aussi arrosez-moi bien !" et autre charabia infantile de ce genre. Où les lits vous bercent pour vous endormir et vous "secouent" pour vous réveiller. Une maison qui tolère "tout juste" les êtres humains, je vous dis ! Une porte d'entrée qui aboie : "Vous avez de la boue sous les pieds, Monsieur !" Et un aspirateur électronique qui vous suit de pièce en pièce en reniflant comme un chien, ingurgitant chaque bout d'ongle ou de cendre que vous laissez tomber. Doux Jésus, Seigneur Dieu !

---

7. **you :** a ici la valeur d'un indéfini.
8. **a trifle** ['traɪfl] **:** loc. adv., *un tout petit peu, un rien.* **A trifle too wide,** *un soupçon trop large.*
9. **rock you to sleep :** autre construction très fréquente (voir note 3). ⚠ To + subst. (the sleep : *le sommeil*). Cf. **He beat her to death,** *il l'a battue à mort.*
10. **an electronic vacuum hound :** m. à m. : *« un chien aspirateur électronique ».* **A hound** : *un chien de chasse.*

"Quietly," suggested the psychiatrist.

"Remember that Gilbert and Sullivan song — 'I've Got It on My List, It Never[1] Will Be Missed' ? All night I listed grievances[2]. Next morning early I bought a pistol. I *purposely*[3] muddied my feet. I stood at our front door. The front door shrilled, 'Dirty feet, muddy feet ! Wipe your feet ! Please be *neat* !' I shot the damn thing in its keyhole. I ran to the kitchen, where the stove was just whining, 'Turn me *over* !' In the middle of a mechanical omelet I did the stove[4] to death. Oh, how it sizzled and screamed, 'I'm *shorted* !' Then the telephone rang like a spoiled[5] brat[6]. I shoved it down the Insinkerator. I must state here and now I have *nothing* whatever[7] against the Insinkerator ; it was an innocent bystander. I feel sorry for it now, a practical device[8] indeed, which never said a word, purred like a sleepy lion most of the time, and digested our leftovers. I'll have it restored[9]. Then I went in and shot the televisor, that insidious beast, that Medusa, which freezes[10] a billion people to stone every night, staring fixedly, that Siren which called and sang and promised[11] so much and gave, after all, so little, but[12] myself always going back, going back, hoping and waiting until — bang ! Like a headless[13] turkey, gobbling[14], my wife whooped[15] out the front door. The police came. Here I *am* !"

He sat back happily and lit a cigarette.

"And did you realize, in committing these crimes, that the wrist radio, the broadcasting transmitter, the phone, the bus radio, the office intercoms, all were rented or were someone else's property ?"

---

1. **never :** déplacement poétique : it will never be.
2. **grievance :** *doléance, plainte, réclamation.* ⚠ Grief [gri:f] : *douleur, peine, malheur.*
3. **purposely :** syn. : on purpose. ⚠ Pron. ['pɜ:pəs].
4. **I did the stove :** to do sert à construire un grand nombre d'expressions familières et argotiques. Ici, il a le sens de kill. Cf. the crooks did in the witness, *les escrocs ont descendu le témoin.*
5. **to spoil, spoilt, spoilt** ou **spoiled :** *gâter, abîmer, gâcher.* A spoiled child, *un enfant gâté.*
6. **a brat :** *un garnement, une petite peste.*
7. **whatever :** pron., s'emploie pour renforcer un nom ou un

— Du calme ! fit le psychiatre.

— Vous vous souvenez de cette chanson de Gilbert et Sullivan : "Je l'ai noté sur mon carnet, Je ne l'oublierai jamais" ? Toute la nuit j'ai aligné mes griefs. De bonne heure le lendemain matin, j'ai acheté un revolver. Je me suis sali les pieds *exprès* et je suis allé à la porte d'entrée. La porte s'est mise à piailler : "Chaussures sales, chaussures boueuses ! Essuyez-vous les pieds ! Soyez *propre*, s'il vous plaît !" J'ai descendu le satané machin en tirant dans la serrure. Puis j'ai couru à la cuisine où, justement, le fourneau pleurnichait "retournez-moi !" Je l'ai liquidé au beau milieu d'une omelette automatique. Ah, comme il a grésillé et braillé "Je suis cuit !" Puis le téléphone s'est mis à sonner comme un gosse gâté. Je l'ai enfoncé dans l'évierbroyeur. Il me faut avouer, ici et maintenant, que je n'ai absolument *rien* contre l'évierbroyeur ; c'était un spectateur innocent. Je suis désolé pour lui, c'était en fait un appareil pratique qui ne disait jamais un mot, ronronnait la plupart du temps comme un lion endormi et digérait nos restes. Je le ferai réparer. Puis je suis retourné au salon et j'ai descendu le téléviseur, cette bête insidieuse, cette Méduse, qui pétrifie chaque soir un milliard d'individus et les hypnotise, cette sirène qui nous appelle, chante et promet tant pour en fin de compte nous donner si peu et malgré cela même moi qui y reviens, y reviens encore, espérant toujours, jusqu'à ce que ... pan ! Comme une dinde stupide poussant ses glouglous, ma femme s'est ruée dehors en hoquetant. La police est arrivée. Et je suis là ! »

Il se cala tout heureux dans son siège et alluma une cigarette.

« Et vous êtes-vous rendu compte, en commettant ces crimes, que le bracelet-radio, l'émetteur, le téléphone, la radio du bus, l'intercom du bureau, tous ces appareils étaient soit loués, soit la propriété de quelqu'un d'autre ?

---

pronom : **he has no chance whatever,** *il n'a pas la moindre chance.*

8. **device :** *mécanisme, appareil, système.*
9. **I'll have it restored :** to have + cpt + p.p. : *faire subir une action* (à qqn ou qqch.).
10. **to freeze :** ici, *figer, clouer sur place, statufier.*
11. **promised :** [ˈprɒmist].
12. **but :** ⚠ ici, *néanmoins, pourtant* (syn. : **yet**).
13. **headless :** ⚠ 1) *décapité ;* 2) *écervelé, étourdi, sot.*
14. **to gobble :** *faire le bruit du dindon ;* 2) *avaler.*
15. **to whoop :** onom. : 1) *pousser un cri d'enthousiasme ;* 2) *ululer, pousser des cris d'orfraie.*

"I would do it all over again, so help[1] me God."

The psychiatrist sat there in the sunshine of that beatific smile.

"You don't want any further[2] help from the Office of Mental Health ? You're ready to take the consequences ?"

"This is only the beginning," said Mr. Brock. "I'm the vanguard of the small public which is tired of noise and being taken advantage of[3] and pushed around and yelled at, every moment music, every moment in touch with some voice somewhere, do this, do that, quick, quick, now here, now[4] there. You'll see. The revolt begins. My name will go down in history !"

"Mmm." The psychiatrist seemed to be thinking.

"It'll take time, of course. It was all so enchanting at first. The very[5] *idea* of these things, the practical uses, was wonderful. They were almost toys, to be played with[6], but the people got too involved[7], went too far, and got wrapped up in a pattern of social behavior[8] and couldn't get out, couldn't admit they were *in*, even[9]. So they rationalized their nerves as something else. 'Our modern age', they said.'Conditions', they said. 'High-strung'[10], they said. But mark my words, the seed has been sown. I got world-wide coverage[11] on TV, radio, films ; *there's* an irony for you. That was five days ago. A billion people know about me. Check your financial columns. Any day now. Maybe today. Watch for[12] a sudden spurt[13], a rise in sales[14] for French chocolate ice cream !"

"I see," said the psychiatrist[15].

"Can I go back to my nice private cell now, where I can be alone and quiet[16] for six months ?"

---

1. **help :** présent du subjonctif, forme de l'inf. sans to à toutes les personnes (donc sans s à la 3e pers. du sing.). Cf. God save the Queen !
2. **further :** comparatif de far : *plus loin.*
3. **being ... of :** m. à m. : *« qu'on tire profit d'eux ».* Les verbes à préposition (ici to take advantage of : *profiter, abuser de*) peuvent s'employer à la voix passive. Eh, you're spoken to, *eh, on te parle !*
4. **now ... now :** tantôt ... tantôt.
5. **very :** adj. à valeur intensive : *même, précis.* At the very moment : *à cet instant précis.*
6. **to be played with :** m. à m. : *« pour qu'on joue avec ».*
7. **got too involved :** m. à m. : *« se sont trop impliqués ».*
8. **wrapped up in a pattern of social behavior :** m. à m. :

— Dieu me vienne en aide, je suis prêt à le refaire. »

Le psychiatre baignait dans l'éclat de ce sourire béat.

« Vous ne voulez aucune aide du Service de la santé mentale ? Vous êtes prêt à subir toutes les conséquences ?

— Ceci n'est qu'un début, affirma M. Brock. Je suis l'avant-coureur de ce petit nombre qui ne supporte plus le bruit, ni qu'on le manipule, le dirige, lui hurle des ordres. A chaque instant de la musique, à chaque instant en contact avec la voix de quelqu'un : fais ceci, fais cela, vite, vite, vite, viens ici, viens par là. Vous verrez. La révolte commence. Mon nom restera dans l'histoire !

— Hmm. » Le psychiatre semblait pensif.

« Cela prendra du temps, bien sûr. C'était si enchanteur au début. *L'idée* même de ces objets, leur commodité d'emploi, était merveilleuse. C'était presque comme s'amuser avec des jouets ; mais les gens se sont laissé prendre au jeu, ils sont allés trop loin, ils ont été pris dans l'engrenage d'un type de comportement social et n'ont plus été capables d'en sortir, même pas d'admettre qu'ils étaient *pris* dedans. Alors ils ont trouvé des explications rationnelles à leurs impulsions. "Les temps modernes", ont-ils dit. "Le mode de vie ; trépidant !" ont-ils expliqué. Mais, notez bien ce que je vous dis, la graine est semée. J'ai eu la vedette à la télé, à la radio et au cinéma, dans le monde entier. C'est le comble de l'ironie, non ? C'était il y a cinq jours. Un milliard de personnes savent maintenant qui je suis. Consultez vos colonnes financières. A partir de maintenant. Peut-être aujourd'hui. Attendez-vous à une envolée subite, une hausse dans les ventes de glaces au chocolat.

— Je vois, dit le psychiatre.

— Puis-je retourner à ma charmante cellule, maintenant, pour y retrouver le calme et la solitude pour six mois ?

« enveloppés dans un modèle social ». **Behavior** (GB **behaviour**) : *conduite, comportement.*

9. **even :** adv., reprend ici toute la phrase. On dira de manière plus soignée : **couldn't even admit.**

10. **high-strung :** adj. : *tendu, nerveux, exalté ;* de **to string, strung, strung** : *encorder, accorder, tendre, bander* (une corde).

11. **coverage :** 1) *couverture, reportage, diffusion* (radio, vidéo) ; 2) *public atteint, audience.*

12. **to watch for :** *attendre, épier, guetter, surveiller.*

13. **spurt :** 1) *jet, jaillissement ;* 2) *poussée, emballement.*

14. **sales** [seilz] : *les ventes.* ⚠ *Vendre :* **to sell** [sel].

15. **psychiatrist :** [saɪ'kaiətrist].

16. **alone and quiet :** *seul et tranquille.*

"Yes," said the psychiatrist quietly.

"Don't worry about[1] me," said Mr. Brock, rising. "I'm just going to[2] sit around for a long time[3] stuffing[4] that nice soft bolt[5] of quiet material in both ears."

"Mmm," said the psychiatrist, going to the door.

"Cheers[6]," said Mr. Brock.

"Yes," said the psychiatrist.

He pressed a code signal on a hidden[7] button, the door opened, he stepped out, the door shut and locked[8]. Alone, he moved in the offices and corridors. The first twenty yards[9] of his walk were accompanied[10] by "Tambourine Chinois." Then it was "Tzigane," Bach's Passacaglia and Fugue in something Minor, "Tiger Rag", "Love Is Like a Cigarette." He took his broken wrist radio from his pocket like a dead praying mantis. He turned in at his office. A bell sounded ; a voice came out of the ceiling, "Doctor ?"

"Just finished with Brock," said the psychiatrist.

"Diagnosis ?"

"Seems completely disorientated, but convivial. Refuses to accept the simplest realities of his environment and work *with* them."

"Prognosis ?"

"Indefinite. Left him enjoying a piece[11] of invisible material[12]."

Three phones rang. A duplicate[13] wrist radio in his desk drawer buzzed like a wounded grasshopper. The intercom flashed a pink light and click-clicked[14]. Three phones rang. The drawer buzzed[15]. Music blew in through the open door.

---

1. **to worry about :** *se faire du souci pour qqch., qqn.*
2. **going to :** le choix de going to indique que l'intention est déjà arrêtée, pour un futur proche. I'll indiquerait que M. Brock prend sa décision au moment où il parle, et sans précision de date.
3. **to sit ... time :** m. à m. : *« rester assis par là, un bon bout de temps. »*
4. **to stuff :** *fourrer, enfoncer, bourrer dans qqch.* Fam. : I'm stuffed full, *je suis plein à ras bord.*
5. **bolt :** 1) *boulon, cheville ;* 2) *verrou, loquet.*
6. **cheers ! :** *à la vôtre, à votre santé.* Cheers : *encouragements, applaudissements, acclamations.*
7. **hidden :** de to hide, hid, hidden : *cacher, dissimuler.*
8. **the door shut and locked :** notez la différence entre to shut :

— Oui, fit calmement le psychiatre.

— Ne vous inquiétez pas pour moi, dit M. Brock en se levant. Mon intention est simplement de rester là à me remplir les oreilles de ce bouchon de matière douce et silencieuse — Et pendant longtemps.

— Hmm, fit le psychiatre en se dirigeant vers la porte.

— Bonne chance ! lança M. Brock.

— Oui », dit le psychiatre.

Il tapa un signal codé sur un bouton invisible ; la porte s'ouvrit ; il sortit ; la porte se referma à clé. Seul, il parcourut les bureaux et les couloirs. Les vingt premiers mètres qu'il fit furent accompagnés par *Le Tambourin chinois*. Puis ce fut *Tzigane*, *Passacaille* de Bach et *Fugue* en quelque chose de mineur, *Tiger Rag*, *L'amour est comme une cigarette*. Il sortit de sa poche son bracelet-radio cassé qui ressemblait à une mante religieuse morte. Il entra dans son bureau. Une sonnerie retentit ; une voix tomba du plafond : « Docteur ?

— Je viens de finir avec Brock, dit le psychiatre.

— Diagnostic ?

— Il semble complètement désorienté, mais sociable. Refuse d'accepter les réalités les plus ordinaires de son environnement et de faire avec.

— Pronostic ?

— Indéterminé. Je l'ai quitté en train de savourer une matière invisible. »

Trois téléphones se mirent à sonner. Dans le tiroir de son bureau, un bracelet-radio de rechange émit son bourdonnement de criquet blessé. Une lumière rose s'alluma sur l'intercom qui se mit à cliqueter. Les trois téléphones sonnaient. Le tiroir bourdonnait. De la musique s'engouffrait par la porte ouverte.

(se) fermer et **to lock** : *(se) fermer à clé, (se) verrouiller.*
9. **twenty yards :** env. *20 mètres.* **A yard** : *0,914 m.*
10. **accompanied :** notez l'orthographe **ie** au p.p. des verbes en **y** ; cf. **to bury, buried.**
11. **a piece :** ⚠ *un morceau. Une pièce (chambre) :* **a room** ; (théâtre), **a play** ; (monnaie), **a coin.**
12. **material :** 1) *matière, matériau ;* 2) *matériel ;* 3) *tissu.*
13. **duplicate :** adj. : *double, en double, de rechange.* **To duplicate** : *reproduire en double exemplaire.*
14. **click-clicked :** notez la souplesse de l'anglais qui peut faire d'un bruit un verbe.
15. **to buzz :** *émettre un bourdonnement.* **A buzzer** : *un vibreur phonique, une sonnerie sourde.* Remarquez combien le v. anglais est proche de l'onomatopée : *Bzz.*

The psychiatrist, humming quietly, fitted[1] the new wrist radio to his wrist, flipped[2] the intercom, talked a moment, picked up one telephone, talked[3] picked up another telephone, talked, picked up the third telephone, talked, touched the wrist-radio button, talked, calmly and quietly, his face cool and serene, in the middle of the music and the lights flashing, the two phones ringing again, and his hands moving, and his wrist radio buzzing, and the intercoms talking, and voices speaking from the ceiling. And he went on quietly this way through[4] the remainder[5] of a cool, air-conditioned, and long afternoon ; telephone, wrist radio, intercom, telephone, wrist radio, intercom, telephone, wrist radio, intercom, telephone, wrist radio, intercom, telephone, wrist radio, intercom, telephone, wrist radio...

---

1. **to fit to :** *adapter, ajuster, arranger qqch. à qqch.* To fit a rose to a watering can, *adapter une pomme d'arrosage sur un arrosoir.*
2. **to flip :** *donner une secousse, une chiquenaude, une pichenette.*
3. **to talk :** *parler, s'entretenir,* s'emploie lorsque l'action de parole n'a rien de particulièrement remarquable. Dans le cas contraire, on emploiera to speak. He speaks English. He speaks fluently, *il parle couramment.* Small talk, *bavardage.*
4. **through :** prép. : *d'un bout à l'autre.* Cf. throughout. She slept throughout the day, *elle passa la journée à dormir.*
5. **remainder :** ⚠ de to remain : *rester : reste, restant, reliquat.*

Le psychiatre, en fredonnant doucement, attacha le nouveau bracelet-radio à son poignet, appuya sur le bouton de l'intercom, parla un instant, prit le récepteur de l'un des téléphones, parla, prit un autre récepteur, parla, prit le troisième récepteur, parla, appuya sur le bouton du bracelet-radio, parla ; il était calme et tranquille, le visage paisible et serein, au milieu de toute cette musique, de ces clignotements, des sonneries des deux téléphones qui tintaient à nouveau, et ses mains s'agitaient et son bracelet-radio bourdonnait et l'intercom parlait et des voix tombaient du plafond. Il continua ainsi tranquillement pendant tout le reste de ce long après-midi, dans la fraîcheur de l'air conditionné ; téléphone, bracelet-radio, intercom, téléphone, bracelet-radio, intercom, téléphone, bracelet-radio, intercom, téléphone, bracelet-radio, intercom, téléphone, bracelet-radio, intercom, téléphone, bracelet-radio...

Révisions

Vous avez rencontré dans la nouvelle que vous venez de lire l'équivalent des expressions françaises suivantes.
Vous en souvenez-vous ?

1. Il vérifia quelques papiers avec sa secrétaire.
2. Il téléphona au capitaine de police, à l'étage.
3. Il déverrouilla la porte et entra.
4. Quelque chose n'allait pas dans la pièce.
5. Ne t'inquiète pas de ce qui m'arrive !
6. On commence ?
7. J'ai toujours rêvé d'être écrivain.
8. Le téléphone est une chose si commode !
9. Ce qui est assez bon pour moi est assez bon pour lui.
10. Et que s'est-il passé ensuite ?
11. Sors de ce bar, rentre à la maison et prépare le dîner !
12. J'ai tiré dans la serrure du satané machin.
13. Je suis désolé pour lui, je le ferai réparer.
14. Surveillez une hausse dans les ventes de glace au chocolat.
15. Ne vous en faites pas pour moi.

1. **He checked a few papers with his secretary.**
2. **He phoned the police captain upstairs.**
3. **He unlocked the door and stepped in.**
4. **Something was wrong with the room.**
5. **Don't care what happens to me !**
6. **Shall we start ?**
7. **I always dreamt of being a writer.**
8. **The telephone is such a convenient thing.**
9. **What's good enough for me is good enough for him.**
10. **And what happened next ?**
11. **Get out of that bar, get home and get dinner started !**
12. **I shot the damn thing in its keyhole.**
13. **I'm sorry for it ; I'll have it restored.**
14. **Watch for a rise in sales for chocolate ice cream.**
15. **Don't worry about me.**

A Sound of Thunder[1]

Un coup de tonnerre

The sign on the wall seemed to quaver[2] under a film of sliding warm water. Eckels felt his eyelids blink over his stare, and the sign burned in this momentary darkness[3] :

TIME SAFARI, INC[4].
SAFARIS TO ANY YEAR IN THE PAST.
YOU NAME THE ANIMAL.
WE TAKE YOU THERE.
YOU SHOOT IT

A warm phlegm[5] gathered in Eckels' throat ; he swallowed and pushed it down. The muscles around his mouth formed a smile as he put his hand slowly out upon the air, and in that hand waved a check for[6] ten thousand dollars to the man behind the desk.

"Does this safari guarantee[7] I come back alive ?"

"We guarantee nothing," said the official, "except the dinosaurs." He turned. "This is Mr. Travis, your Safari Guide in the Past. He'll tell you what and where to shoot. If he says no shooting, no shooting[8]. If you disobey[9] instructions, there's a stiff penalty of another ten thousand dollars, plus possible government action, on your return."

Eckels glanced across the vast office at a mass and tangle[10], a snaking[11] and humming of wires and steel boxes, at an aurora that flickered[12] now orange, now silver, now blue. There was a sound like a gigantic bonfire burning all of Time[13], all the years and all the parchment calendars, all the hours piled high and set aflame[14].

---

1. **thunder :** *le tonnerre.* A clap of thunder, *un coup de tonnerre ;* a thunderbolt : *un coup de foudre.*
2. **to quaver :** *trembloter, chevroter* (pour un son).
3. **burned ... darkness :** m. à m. : *« se grava dans cette obscurité momentanée ».* To burn in : *graver par le feu.*
4. **inc. :** abréviation de incorporated, adj. Désigne une société par actions. L'abréviation figure dans la raison sociale de telles sociétés.
5. **phlegm :** *sécrétion inflammatoire des voies respiratoires.*
6. **for :** notez la préposition : *pour une valeur de.*
7. **to guarantee** [gaerən'ti:] **:** l'accent des mots terminés par ee se porte sur la dernière syllabe. Cf. an employee [emploɪ'i:].
8. **no shooting :** tournure alternative : don't shoot. No crossing, *interdit de traverser.*

L'affiche, sur le mur, parut se gondoler sous un mince écoulement d'eau chaude. Eckels sentit ses paupières cligner et l'inscription qu'il fixait s'imprima en lettres de feu sur leur rideau sombre :

STÉ DES SAFARIS A TRAVERS LES AGES
N'IMPORTE QUAND DANS LE PASSÉ
VOUS CHOISISSEZ VOTRE ANIMAL
NOUS VOUS TRANSPORTONS
VOUS LE TUEZ

Une boule tiède se forma dans sa gorge : il déglutit pour la faire passer ; les muscles de sa bouche dessinèrent un sourire crispé tandis qu'il tendait lentement la main, agitant au bout de ses doigts un chèque de dix mille dollars vers l'homme assis derrière le comptoir.

« Me garantissez-vous de revenir vivant de ce safari ?

— Nous ne garantissons rien, répliqua l'employé, sauf les dinosaures. » Il se retourna : « Voici M. Travis, votre guide dans le passé. Il vous dira sur quoi tirer et où viser. S'il vous dit de ne pas tirer, vous ne tirez pas. Si vous désobéissez aux instructions, il est prévu, à votre retour, une amende ferme d'encore dix mille dollars, et éventuellement des poursuites gouvernementales. »

Eckels jeta un coup d'œil, à l'autre bout du vaste bureau, à un amas bourdonnant de fils électriques et de boîtiers d'acier enchevêtrés comme des serpents, à une aurore vacillante qui s'allumait tantôt orange, tantôt argentée, tantôt bleue. On entendait un bruit de feu de joie gigantesque consumant l'éternité, toutes les années et tous les calendriers parcheminés, toutes les heures, empilés bien haut et enflammés.

---

9. **to disobey** et **to obey** (obéir) ne sont jamais suivis d'une préposition. Ex. **obey your parents.**
10. **to tangle :** 1) *fouillis, enchevêtrement, embrouillement ;* 2) *confusion.* Fam. : **You got me into a tangle,** *tu m'as mis dans le pétrin.*
11. **a snaking :** subst. formé sur **to snake** : *serpenter.* En anglais, la formation des subst. à partir du participe présent est ouverte à l'initiative individuelle.
12. **to flicker :** *trembloter, vaciller, clignoter* (lumière) ; *osciller, voltiger* (objet).
13. **all of Time :** littéralement : *« la totalité du temps ».*
14. **to set aflame :** *enflammer, mettre le feu à.* **The house is aflame,** *la maison est en flammes.*

A touch of the hand and this burning would, on the instant, beautifully[1] reverse itself. Eckels remembered the wording[2] in the advertisements to the letter[3]. Out of chars and ashes[4], out of dust[5] and coals, like golden salamanders, the old years, the green years, might[6] leap[7]; roses sweeten the air, white hair turn Irish-black[8], wrinkles vanish; all, everything fly back to seed, flee death, rush down to their beginnings, suns rise in western skies and set in glorious[9] easts, moons eat themselves opposite to the custom, all and everything cupping one in another like Chinese boxes, rabbits, in hats, all and everything returning to the fresh[10] death, the seed[11] death, the green death, to the time before the beginning. A touch of a hand might do it, the merest[12] touch of a hand.

"Hell and damn," Eckels breathed, the light of the Machine on his thin face. "A real Time Machine." He shook his head. "Makes you think. If the election had gone badly yesterday, I might be here now running away from the results. Thank God Keith won[13]. He'll make a fine President of the United States."

"Yes," said the man behind the desk. "We're lucky. If Deutscher had gotten[14] in, we'd have the worst[15] kind of dictatorship[16]. There's an anti-everything man for you, a militarist, anti-Christ, anti-human, anti-intellectual. People called us up, you know, joking but not joking. Said if Deutscher became President they wanted to go live[17] in 1492. Of course it's not our business[18] to conduct Escapes, but[19] to form Safaris.

---

1. **beautifully :** ▲ *admirablement, parfaitement, on ne peut mieux.*
2. **the wording :** *le libellé, la rédaction, l'expression.*
3. **to the letter :** ▲ locution adverbiale : *à la lettre, mot à mot, au mot près.*
4. **ashes :** *les cendres.* Ashtray : *cendrier.*
5. **dust :** *la poussière.* To dust, *dépoussiérer.*
6. **might :** dans cette phrase, **might** (éventualité) régit tous les infinitifs sans to, jusqu'à eat themselves.
7. **to leap, leapt, leapt :** *sauter, bondir.*
8. **turn Irish black :** m. à m. : *« devenir d'un noir irlandais ».* To turn black, *noircir.*
9. **glorious :** ▲ *resplendissant, éclatant, radieux.* A glorious sun, *un soleil radieux.*
10. **fresh :** ▲ *récent.* A freshman, *un nouveau, un bizuth.*

Une pression des doigts, et ce brasier, à l'instant même, se retournerait parfaitement sur lui-même. Eckels se souvenait, à la lettre, des termes employés dans les publicités. Des tisons et des cendres, de la poussière et des braises, telles des salamandres dorées, les années de vieillesse et les vertes années pouvaient resurgir ; les roses embaumer l'air, les cheveux blancs redevenir d'un noir de jais et les rides s'effacer. Tout et toute chose retourner en un éclair vers la semence, fuir la mort, se précipiter vers son origine ; les soleils se lever dans des ciels d'occident et se coucher dans des orients glorieux ; les lunes se ronger à l'inverse de l'accoutumé. Tout et toute chose s'imbriquant comme des boîtes gigognes, comme des lapins rentrant dans des chapeaux, tout et toute chose remontant de la mort récente vers le temps de la germination, puis vers la mort de la tige verte, jusques aux temps d'avant le commencement. Une pression des doigts pouvait réaliser cela, la plus légère pression qui soit.

« Enfer et damnation », lâcha Eckels dans un souffle, son mince visage éclairé par la lumière de la machine. « Une vraie machine à remonter le temps. » Il secoua la tête. « Ça fait réfléchir. Si l'élection s'était mal passée, hier, je pourrais être ici maintenant pour fuir les résultats. Dieu merci, c'est Keith qui l'a emporté. Il fera un bon président des États-Unis.

— Oui, dit l'homme derrière le comptoir. On a de la veine. Si Deutscher était passé, on serait bons pour la pire des dictatures. En voilà un qui est anti-tout ; il est militariste, antireligion, ennemi de tout ce qui est humain et intellectuel. Des tas de gens nous ont appelés, vous savez, l'air de blaguer comme ça, mais sérieux, au fond. Ils disaient que si Deutscher devenait président, ils préféraient aller vivre en 1492. Mais ce n'est certes pas notre métier d'organiser des évasions dans le passé, seulement des safaris.

---

11. **seed :** *la graine, la semence.*
12. **merest :** superlatif de mere : *simple, unique, seul.*
13. **won :** de to win, won, won, *gagner.*
14. **had gotten :** US, populaire pour had got.
15. **worst :** superlatif irrégulier de bad. Bad, worse, the worst.
16. **dictatorship :** le suffixe -ship sert à former des noms abstraits à partir de mots concrets. Cf. friendship, *l'amitié.*
17. **to go live :** anglais américain familier pour dire go and live. Cf. they want to go talk to the boss, *ils veulent aller parler au chef.*
18. **business** [biznis] **:** *les affaires.* Business is business, *les affaires sont les affaires.* Business hours, *heures d'ouverture.*
19. **but :** (ici) *seulement,* syn. : only.

Anyway, Keith's President now. All you got to[1] worry about is —"

"Shooting[2] my dinosaur," Eckels finished it for him.

"*A Tyrannosaurus rex.* The Thunder Lizard, the damnedest[3] monster in history. Sign this release[4]. Anything happens[5] to you, we're not responsible. Those dinosaurs are hungry."

Eckels flushed angrily. "Trying to scare me !"

"Frankly, yes. We don't want anyone going[6] who'll panic at the first shot. Six Safari leaders were killed last year, and a dozen hunters. We're here to give you the damnedest thrill a *real* hunter ever asked for. Traveling you back sixty million years to bag[7] the biggest damned game[8] in all Time. Your personal check's[9] still there. Tear it up."

Mr. Eckels looked at the check for a long time. His fingers twitched.

"Good luck," said the man behind the desk. "Mr. Travis, he's all yours."

They moved silently across the room, taking their guns with them, toward the Machine, toward the silver metal and the roaring light.

First a day and then a night and then a day and then a night, then it was day-night-day-night-day. A week, a month, a year, a decade[10] ! A.D. 2055. A.D. 2019. 1999 ! 1957 ! Gone ! The Machine roared.

They put on their oxygen helmets and tested the intercoms.

Eckels swayed on the padded[11] seat, his face pale, his jaw stiff[12].

---

1. **got to :** US pour have got to.
2. **to shoot, shot, shot :** *faire feu, tirer un projectile.* Shooting : *la chasse au petit gibier.*
3. **damnedest :** (argot), superlatif de damned, adj. : *sacré, foutu, damné.*
4. **release :** *libération, décharge. Mise en vente, en circulation.* Press release : *communiqué de presse.*
5. **anything happens :** fam. pour whatever may happen.
6. **anyone going :** anglais américain : anyone to go.
7. **to bag :** *abattre, tuer du gibier.* Fam. : I bagged him, *je l'ai eu.*
8. **game :** ⚠ (ici) *gibier.* Big game hunting, *chasse aux fauves.* Big game fishing, *pêche au gros.*

De toute façon, c'est Keith qui est président maintenant. Tout ce dont vous avez à vous préoccuper, c'est de...

— Tuer mon dinosaure ! termina Eckels à sa place.

— Un *Tyrannosaurus rex.* Le Lézard Tonnant, un sacré monstre, le plus terrible de l'histoire. Signez-moi cette décharge. Quoi qu'il vous arrive, nous ne sommes pas responsables. Ces dinosaures sont affamés. »

Eckels rougit de colère. « Vous essayez de me faire peur !

— Franchement, oui. Nous ne voulons pas de types qui paniquent au premier coup de feu. Six guides ont été tués l'an dernier, et une douzaine de chasseurs. Nous sommes là pour vous procurer les plus sacrés frissons qu'un *vrai* chasseur ait jamais rêvé d'éprouver. On vous transporte soixante millions d'années en arrière et vous pouvez abattre le plus satané gros gibier de tous les temps. Votre chèque est encore là. Déchirez-le ! »

M. Eckels regarda longuement le chèque. Ses doigts se crispèrent.

« Bonne chance, dit l'homme derrière le comptoir. M. Travis, voilà votre homme. »

Ils traversèrent silencieusement la pièce, emportant leurs fusils vers la machine, vers la masse de métal argenté et la lumière vrombissante.

Un jour s'écoula, puis une nuit, puis encore un jour et encore une nuit, puis ce fut le jour-la nuit-le jour-la nuit-le jour. Une semaine, un mois, une année, une décennie ! 2055 après J.-C. 2019. 1999 ! 1957 ! Partis ! La machine vrombissait.

Ils mirent leurs casques à oxygène et vérifièrent le système de transmission.

Eckels oscillait sur le siège rembourré, le visage pâle, les mâchoires contractées.

---

9. **check :** US ; GB, cheque ; **traveler's check** (US) : **traveller's cheques** (GB). A check, aux USA, a aussi le sens de : *addition, note.* (GB : bill).
10. **a decade :** ⚠ *dix ans* et non *dix jours.* Pron. possibles : [dɪ'keɪd], ['dekəd], ou ['dekeɪd].
11. **padded :** *rembourré.* To pad, *bourrer, capitonner, matelasser.* A pad : *un rembourrage, une garniture.*
12. **stiff :** 1) *raide, empesé, dur ;* 2) *pénible, ardu.*

He felt the trembling in his arms and he looked down and found his hands tight[1] on the new rifle. There were four other men in the Machine. Travis, the Safari Leader, his assistant, Lesperance, and two other hunters, Billings and Kramer. They sat looking at each other, and the years blazed[2] around them.

"Can these guns[3] get a dinosaur cold ?" Eckels felt his mouth saying.

"If you hit them right," said Travis on the helmet radio. "Some dinosaurs have two brains[4], one in the head, another far down the spinal column. We stay away from those. That's stretching luck[5]. Put your first two shots[6] into the eyes, if you can, blind them, and go back into the brain."

The Machine howled. Time was a film run backward. Suns fled[7] and ten million moons fled after them. "Good God," said Eckels. "Every hunter that ever lived[8] would envy us today. This makes Africa seem like Illinois."

The Machine slowed ; its scream fell to a murmur. The Machine stopped.

The sun stopped in the sky.

The fog that had enveloped the Machine blew away and they were in an old time[9], a very old time indeed, three hunters[10] and two Safari Heads[11] with their blue metal guns across their knees.

"Christ isn't born[12] yet," said Travis. "Moses has not gone to the mountain to talk with God. The Pyramids are still in the earth, waiting to be cut out and put up. *Remember* that, Alexander, Caesar, Napoleon, Hitler — none[13] of them exists."

---

1. **tight :** 1) *serré ;* 2) *raide, tendu* (corde). Hold tight : *accroche-toi.*
2. **to blaze :** *flamboyer, resplendir, s'embraser.*
3. **gun :** le mot gun a plusieurs traductions : *canon* (aussi cannon) ; *revolver* (revolver) ; *fusil, carabine* (rifle).
4. **brain :** *le cerveau,* mais brains, *la cervelle.* Fam. : he's got brains, *il est intelligent.*
5. **stretching luck :** lit. : *« étirer la chance ».* To stretch : 1) *tendre, étirer, allonger ;* 2) *s'étendre, s'étirer.*
6. **first two shots :** ⚠ et non : two first shots. Cf. the next five minutes et non the five next minutes.
7. **fled :** de to flee, fled, fled : *fuir, s'enfuir.*
8. **every hunter that ever lived :** *tous les chasseurs qui ont jamais vécu jusqu'à présent.*

Il ressentait les trépidations dans ses bras et en baissant les yeux, il s'aperçut qu'il crispait les mains sur son nouveau fusil. Il y avait quatre autres hommes dans la machine. Travis, le responsable du safari, Lesperance, son assistant et deux autres chasseurs, Billings et Kramer. Ils se regardaient les uns les autres tandis que les années s'embrasaient autour d'eux.

« Est-ce que ce genre de fusil peut vraiment refroidir un dinosaure ? s'entendit prononcer Eckels.

— Si vous tirez juste », répondit Travis dans son casque radio. « Certains dinosaures ont deux cerveaux ; un dans la tête, l'autre beaucoup plus bas dans la colonne vertébrale. Ceux-là, nous les évitons. C'est prendre trop de risques. Tirez vos deux premiers coups dans les yeux, si vous y arrivez, aveuglez-le, alors seulement vous tirez au cerveau. »

La machine rugissait. Le temps se déroulait comme un film à l'envers. Les soleils défilaient et dix millions de lunes défilaient à leur suite.

« Dieu du ciel ! dit Eckels. N'importe quel chasseur au monde nous envierait aujourd'hui. Ça ramène l'Afrique au niveau de l'Illinois. »

La machine ralentit ; son vrombissement se fit murmure. Elle s'arrêta.

Le soleil s'immobilisa dans le ciel.

Le brouillard qui avait entouré la machine se dissipa et voici qu'ils se trouvaient dans une époque reculée, une époque bien ancienne en effet, trois chasseurs et deux guides, leurs fusils d'acier bleu posés sur leurs genoux.

« Le Christ n'est pas encore né, dit Travis. Moïse n'est pas encore monté sur la montagne pour parler avec Dieu. Les pyramides sont encore sous la terre, attendant qu'on les taille et qu'on les érige. Souvenez-vous bien : Alexandre, César, Napoléon, Hitler — aucun d'eux n'existe encore. »

---

9. **time :** (ici) *époque.* **At this time of the year,** *à cette époque de l'année.*
10. **hunters :** de **to hunt, hunt, hunt,** *chasser.* **To go hunting,** *aller à la chasse* (à courre, au gros gibier).
11. **heads :** *les chefs, les responsables, les directeurs.* **Department head,** *chef de service.*
12. **to be born :** se conjugue comme tout verbe passif ; c'est l'auxiliaire qui porte la marque du temps. Cf. **the baby will be born in seven days, he was born a week ago.**
13. **none :** pronom, est la contraction de **no one.** Même suivi d'un pronom pers. pluriel, il régit un verbe au singulier : **exists.**

The men nodded.

— "That" — Mr. Travis pointed[1] — "is the jungle of sixty million two thousand and fifty-five years before President Keith."

He indicated a metal path that struck off into green wilderness[2], over steaming swamp, among giant ferns and palms.

"And that," he said, "is the Path, laid by Times Safari for your use. It floats six inches[3] above the earth. Doesn't touch[4] so much as one grass blade[5], flower, or tree. It's an antigravity metal. Its purpose is to keep you from touching this world of the past in any way. Stay on the Path. Don't go off it. I repeat. *Don't go off.* For *any* reason ! If you fall off there's a penalty. And don't shoot any animal we don't okay[6]."

"Why ?" asked Eckels.

They sat in the ancient wilderness. Far birds cries, blew on a wind, and the smell of tar and an old salt sea, moist grasses, and flowers the color of blood.

"We don't want to change the Future. We don't belong here in the Past. The government doesn't *like* us here. We have to pay big graft[7] to keep our franchise. A Time Machine is damn finicky business. Not knowing it[8], we might kill an important animal, a small bird, a roach, a flower even, thus destroying an important link[9] in a growing species[10]."

"That's not clear," said Eckels.

"All right," Travis continued, "say[11] we accidentally kill one mouse here. That means all the future families of this one particular mouse are destroyed, right ?"

"Right."

---

1. **to point :** *montrer du doigt.*
2. **wilderness :** *étendue vierge, sauvage, originelle ; nature à l'état sauvage.* ⚠ pron. [ˈwildənis].
3. **six inches :** environ *22 cm.* An inch : *2,4 cm.*
4. **doesn't ... flower :** m. à m. : *« elle ne touche pas même une seule fleur ».*
5. **grass blades :** grass, *l'herbe,* est indénombrable en anglais. *Une herbe, un brin d'herbe :* A blade of grass. Grasses, (plus bas) : *diverses espèces d'herbe.*

Les hommes acquiescèrent d'un signe de tête.

— « Voici la jungle — M. Travis la montra du doigt — d'il y a soixante millions deux mille cinquante-cinq ans avant le président Keith. »

Il désigna une passerelle métallique qui s'enfonçait dans la brousse vierge, enjambant des marécages fumants, au milieu des fougères et des palmes géantes.

« Et ceci, dit-il, c'est la passerelle, que Safari à travers les Ages a construite pour votre usage. Elle flotte à vingt centimètres au-dessus du sol sans toucher un seul brin d'herbe, une seule fleur, un seul arbre. Elle est faite d'un métal antipesanteur. Son but est de vous empêcher de toucher quoi que ce soit de ce monde du passé. Restez sur la passerelle. N'en sortez pas. Je répète. *N'en sortez pas.* Sous *aucun* prétexte ! Si vous en tombez, vous aurez une amende. Et ne tirez sur aucun animal sans notre accord.

— Pourquoi ? » demanda Eckels.

Ils étaient dans la jungle primitive. Sur les ailes du vent leur parvenaient de lointains cris d'oiseaux, l'odeur de sel d'une mer antique, des senteurs de poix, d'herbe mouillée et de fleurs couleur sang.

« Nous ne voulons pas changer le futur. Nous n'appartenons pas à ce passé. Le gouvernement n'aime pas du tout nous savoir là et il nous faut payer de gros pots-de-vin pour conserver notre concession. Une machine à remonter le temps est une entreprise sacrément délicate. Involontairement, on peut tuer un animal important, un petit oiseau, un gardon, ou même une fleur, et détruire ainsi un chaînon capital d'une espèce à venir.

— Ce n'est pas très clair, dit Eckels.

— Bon, continua Travis, supposons qu'accidentellement, ici, nous tuions une souris. Cela veut dire que toutes les portées futures de cette souris-là seront détruites, d'accord ?

— D'accord.

---

6. **to okay :** US, fam., *donner le feu vert.*
7. **graft :** 1) *greffe ;* 2) *corruption.* **To graft** : fam., *donner* ou *recevoir des pots-de-vin.*
8. **not knowing it :** m. à m. : *« sans le savoir ».*
9. **link :** *lien, chaînon, maillon.*
10. **species :** *espèce,* prend toujours s au singulier. ⚠ **Species** ne s'emploie qu'au sens de : *famille, race. Une espèce (sorte) de :* **a kind, a sort of.** Fam. . *Espèce d'idiot !* **you fool !**
11. **say :** *disons que,* (pour **let's say**).

"And all the families of the families of that one mouse ! With a stamp[1] of your foot, you annihilate first one, then a dozen, then a thousand, a million, a *billion* possible mice[2] !"

"So they're dead," said Eckels. "So what ?"

"So what ?" Travis snorted quietly. "Well, what about the foxes that'll need those mice to survive ? For want of[3] ten mice, a fox dies. For want of ten foxes, a lion starves. For want of a lion, all manner of insects, vultures, infinite billions of life forms are thrown into chaos and destruction. Eventually[4] it all boils down to[5] this : fifty-nine million years later, a cave man, one of a dozen on the *entire* world, goes hunting wild boar or saber-tooth tiger[6] for food. But you, friend, have *stepped* on all the tigers in that region. By stepping on *one* single mouse. So the cave[7] man starves. And the cave man, please note, is not just *any* expendable[8] man, no ! He is an *entire future nation.* From his loins[9] would have sprung ten sons. From *their* loins one hundred sons, and thus onward to a civilization. Destroy this one man, and you destroy a race, a people[10], an entire history of life. It is comparable to slaying[11] some of Adam's grandchildren[12]. The stamp of your foot, on one mouse, could start an earthquake, the effects of which[13] could shake our earth and destinies down through Time, to their very foundations. With the death of that one cave man, a billion[14] others yet unborn[15] are throttled in the womb[16]. Perhaps Rome never rises on its seven hills.

---

1. **a stamp :** cf. to stamp : 1) *imprimer une pression à, taper du pied ;* 2) *timbrer.*
2. **mice :** pluriel irrégulier de mouse. De même foot, feet ; man, men ; child, children ; tooth, teeth ; penny, pence.
3. **for want of :** lit. : *« par manque de ; faute de ».* Want, subst. : 1) *manque, défaut ;* 2) *besoin.*
4. **eventually :** ▲ *en fin de compte, pour finir ;* syn. : at last.
5. **to boil down to :** *se ramener, se borner, revenir à.*
6. **saber-tooth tigers :** race de tigres préhistoriques qui possédaient des canines allongées en forme de sabre.
7. **cave :** ▲ *caverne. Une cave* : a cellar.
8. **expendable :** *non récupérable.* Expendable equipment, *matériel non réutilisable, sacrifié.*
9. **loins :** *le bas du dos, les reins.* Syn. : the small of the back. *Les reins* (organes) : the kidneys.

— Et toutes les portées des portées de cette souris-là ! D'un simple coup de pied, vous annihilez d'abord une, puis une douzaine, puis un millier, un million, un milliard de souris à venir.

— Bon, d'accord, elles sont mortes, dit Eckels. Et alors ?

— Alors ? » Travis ricana tranquillement. « Alors que deviennent les renards qui ont besoin de ces souris pour survivre ? Pour dix souris qui manquent, un renard disparaît. Pour dix renards de moins, c'est un lion qui meurt de faim. Pour un lion de moins, toutes sortes d'insectes, de prédateurs, des myriades de petites vies animales sont vouées au chaos et à la destruction. En fin de compte, cela se résume à ceci : cinquante-neuf millions d'années plus tard, un homme des cavernes — ils sont alors une douzaine dans le monde *entier* — part chasser le sanglier ou le tigre à dents de sabre pour se nourrir. Mais vous, mon ami, vous avez écrasé tous les tigres de cette région. En écrasant une seule souris. Et l'homme des cavernes meurt de faim. Et cet homme des cavernes, notez bien, n'est pas un individu *quelconque*, non ! Il représente *toute une nation future*. De ses reins seraient nés dix fils. De leurs entrailles, cent autres fils, et ainsi de suite jusqu'à former une civilisation. Détruisez cet homme-là et vous détruisez une race, un peuple, un pan entier de l'histoire de l'humanité. C'est comme si vous assassiniez quelques-uns des petits-fils d'Adam. Le poids de votre pied sur une souris pourrait déclencher un tremblement de terre dont les suites ébranleraient les fondations mêmes de la terre et de nos destinées, pour les temps à venir. La mort de ce seul homme des cavernes et c'est un milliard d'individus, encore à naître, qui sont étouffés dans l'œuf. Peut-être que Rome ne s'édifiera jamais sur ses sept collines.

---

10. **people :** (ici) sing. : *un peuple.*
11. **slaying :** gérondif obligatoire derrière les prépositions. Cf. **I'm looking forward to hearing from you,** *j'attends de vos nouvelles.*
12. **grandchildren :** ⚠ *petits-enfants.* De même : **grandson,** *petit-fils ;* **granddaughter,** *petite-fille.*
13. **of which :** traduction de *dont,* **whose** étant surtout utilisé pour les personnes. Notez la place de **of which,** après le nom.
14. **billion :** US, *un milliard,* GB, *un trilliard.* Pour *milliard,* l'anglais dira **one thousand million,** de préférence à **one milliard,** peu usité.
15. **unborn :** adj., *qui n'est pas encore né* ≠**born.**
16. **throttled in the womb :** m. à m. : *« bloqués dans la matrice ».* **Womb** [wuːm], *giron, matrice, entrailles.*

Perhaps Europe is forever a dark forest, and only Asia waxes healthy and teeming[1]. Step on a mouse and you crush the Pyramids. Step on a mouse and you leave your print, like a Grand Canyon, across Eternity. Queen Elizabeth might never be born, Washington might not cross the Delaware[2], there might never be a United States at all. So be careful. Stay on the Path. *Never* step off !"

"I see," said Eckels. "Then it wouldn't pay for us even to touch the *grass ?*"

"Correct. Crushing certain plants could add up infinitesimally. A little error here would multiply in sixty million years, all out of proportion. Of course maybe our theory is wrong. Maybe Time *can't* be changed by us. Or maybe it can be changed only in little subtle[3] ways. A dead mouse here makes an insect imbalance there, a population[4] disproportion later, a bad harvest[5] further on, a depression, mass starvation[6], and, finally, a change in *social* temperament in far-flung countries. Something much more subtle, like that. Perhaps only a soft breath, a whisper, a hair, pollen on the air, such a slight, slight change that unless you looked close[7] you wouldn't see it. Who knows ? Who really can say he knows ? We don't know. We're guessing. But until we do know for certain[8] whether[9] our messing around in Time *can* make a big roar or a little rustle in history, we're being damned careful. This Machine, this Path, your clothing and bodies, were sterilized, as you know, before the journey. We wear these oxygen helmets so we can't introduce our bacteria into an ancient atmosphere."

"How do we know which animals to shoot ?"

---

1. **teeming :** de to teem, *grouiller.*
2. **the Delaware (river) :** sépare les États de Pennsylvanie, Delaware et New Jersey, et se jette dans la Delaware Bay.
3. **subtle :** [ˈsʌtl]. Le b ne se prononce pas dans de nombreux mots tels que : **doubt** [daʊt], **debt** [det], **bomb** [bɒm], **tomb** [tʊm].
4. **population :** les mots en **tion** sont accentués sur l'avant-dernière syllabe. Cf. **depression** [dɪˈpreʃən].
5. **harvest :** *moisson, récolte.* **To harvest :** *moissonner, récolter, engranger.*
6. **starvation :** cf. **to starve :** *mourir de faim.*

Peut-être que l'Europe restera pour toujours une forêt impénétrable et que seule l'Asie prospérera, puissante et féconde. Marchez sur une souris et vous écrasez les pyramides. Marchez sur une souris et vous laissez votre empreinte, telle une faille gigantesque, à travers l'éternité. La reine Elisabeth pourrait ne jamais naître, Washington ne pas traverser le Delaware, les États-Unis pourraient ne jamais exister du tout. Alors, soyez prudents. Restez sur la passerelle. N'en sortez *jamais* !

— Je comprends, dit Eckels. Donc il vaut mieux pour nous que nous ne touchions même pas à *l'herbe* ?

— C'est juste. Écrasez quelques plantes et vous risquez de provoquer une chaîne de réactions infinitésimales. Une petite erreur ici se répercuterait de façon complètement disproportionnée dans soixante millions d'années. Bien sûr, notre théorie est peut-être fausse. Peut-être ne pouvons-nous rien changer au temps. Ou bien seulement des détails imperceptibles. Une souris morte ici provoquerait, là, un déséquilibre parmi les insectes, une disproportion dans la population à venir, une mauvaise récolte plus tard, une récession, une famine et, finalement, un changement de comportement social dans des pays éloignés. Ou quelque chose d'encore beaucoup plus subtil. Peut-être seulement une exhalaison, un murmure, un cheveu, une trace de pollen dans l'air, un changement si léger, si léger, qu'à moins d'être très attentif, on ne s'en apercevrait pas. Qui sait ? Qui peut se vanter de savoir ? Nous n'en savons rien. Nous ne faisons que supposer. Mais tant que nous ignorons si nos incursions dans le temps provoquent un déchaînement ou un simple bruissement dans l'histoire, nous restons diablement prudents. Cette machine, cette passerelle, vos habits et vous-mêmes avez été désinfectés avant le départ, comme vous le savez. Et nous portons ces casques à oxygène afin de ne pas contaminer une atmosphère primitive.

— Comment saurons-nous sur quel animal tirer ?

---

7. **close :** adv. : *tout près, tout contre.* ⚠ [kləʊs].
8. **until ... certain :** m. à m. : *« avant que nous sachions de façon sûre ».* Notez que c'est **until** et non **before** que l'on emploie dans le sens de *jusqu'à ce que.* **Do,** à la forme affirmative, sert à rendre la phrase emphatique.
9. **whether :** *si.* On emploiera **whether** de préférence à **if** derrière des verbes comme **to know, to find out, to learn,** lorsque l'hypothèse contraire est envisagée *(si ... ou non).*

"They're marked with red paint," said Travis. "Today, before our journey, we sent Lesperance here back with the Machine. He came to this particular era and followed certain animals."

"Studying them ?"

"Right," said Lesperance. "I track them through their entire existence, noting which of them lives longest[1]. Very few[2]. How many times they mate. Not often. Life's short. When I find one that's going to die when a tree falls on him, or one that drowns in a tar pit[3], I note the exact hour, minute, and second. I shoot a paint bomb. It leaves a red patch on his hide[4]. We can't miss it. Then I correlate our arrival in the Past so that[5] we meet the Monster not more than two minutes before he would have died anyway. This way, we kill only animals with no future, that are never going to mate[6] again. You see how *careful* we are ?"

"But if you came back this morning in Time," said Eckels eagerly, "you must've bumped into[7] *us*, our Safari ! How did it turn out ? Was it successful ? Did all of us get through — alive ?"

Travis and Lesperance gave each other a look.

"That'd be a paradox," said the latter[8]. "Time doesn't permit that sort of mess[9] — a man meeting himself. When such occasions threaten[10], Time steps aside. Like an airplane hitting an air pocket. You felt the Machine jump just before we stopped ? That was us passing ourselves on the way back to the Future. We saw nothing. There's no way of telling *if* this expedition was a success, *if* we got our monster, or whether all of us meaning *you*[11], Mr. Eckels — got out alive."

---

1. **longest :** (ici) adverbe : *le plus longtemps.*
2. **very few :** *très peu,* pluriel de very little.
3. **tar pit :** *tourbière, puits de bitume.* Tar, *goudron.* Tarmac, *macadam.*
4. **hide :** *la peau, le cuir d'un animal.*
5. **so that :** ⚠ so that, n'étant pas suivi d'un modal, ne peut exprimer que la conséquence (et non le but).
6. **to mate :** (ici) *s'accoupler.* A mate : *un compagnon, un (une) camarade, un copain.*
7. **to bump into :** *(se) cogner, (se) heurter contre qqch.* The bumps, *les trous d'air.* The bumpers, *les pare-chocs.*

— Ils sont marqués à la peinture rouge, dit Travis. Aujourd'hui, avant notre départ, nous avons envoyé Lesperance ici, avec la machine. Il est venu dans cette époque même, pour y suivre certains animaux.

— Pour les étudier ?

— Tout juste, dit Lesperance. Je les suis tout au long de leur vie, je note lesquels vivent longtemps. Très peu. Combien de fois ils se reproduisent. Pas souvent. La vie est courte. Quand j'en trouve un qui va mourir écrasé par la chute d'un arbre, ou en train de se noyer dans une tourbière, je note exactement l'heure, la minute et la seconde et je tire une cartouche de peinture. Elle laisse une tache rouge sur leur cuir. On ne peut pas ne pas le voir. Puis je calcule notre arrivée dans le passé de façon qu'on rencontre le monstre tout juste deux minutes avant l'heure où il serait mort de toute façon. Ainsi, nous ne tuons que des animaux sans avenir, qui ne se seraient plus reproduits. Vous voyez combien nous sommes prudents !

— Mais si vous avez remonté le temps ce matin, demanda avidement Eckels, vous avez dû nous télescoper, de retour de notre safari ! Comment s'est-il terminé ? A-t-il réussi ? Sommes-nous tous revenus — vivants ? »

Travis et Lesperance échangèrent un regard.

« Ce serait un paradoxe, dit ce dernier. Le temps ne permet pas ce genre d'embrouille — un homme qui se rencontre lui-même. Quand de telles possibilités sont à craindre, le temps fait un détour. Comme un avion qui heurte une poche d'air. Vous avez senti la machine s'élever juste avant notre arrivée ? C'était nous, nous croisant nous-mêmes sur le chemin du retour. Nous n'avons rien vu. Il n'y a *aucun* moyen de savoir si cette expédition a été un succès, si nous avons eu notre monstre, ou si tous, je pense à *vous*, M. Eckels, nous sommes rentrés vivants. »

---

8. **the latter :** *(ce dernier)* et non **the last.** L'anglais emploie un comparatif lorsque deux personnes (objets ou éléments) sont en jeu. De même : **the former** (et non **the first**), *le premier.* Cf. **I met Ted and Mike ; I like the former, but not the latter,** *j'ai rencontré Ted et Mike ; j'aime bien le premier, mais pas l'autre.* **The former, the latter** peuvent avoir le sens de pluriels.
9. **mess :** *désordre, pagaille, gâchis.* **You've really messed this place up !** *Tu as fait un vrai bazar ici.*
10. **to threaten :** *menacer.* **Threatening,** *menaçant.*
11. **meaning you :** m. à m. : *« cela voulant dire vous ».*

Eckels smiled palely.

"Cut that," said Travis sharply. "Everyone on his[1] feet !"

They were ready to leave the Machine.

The jungle was high and the jungle was broad[2] and the jungle was the entire world forever and forever. Sounds like music and sounds like flying tents filled the sky, and those were pterodactyls soaring with cavernous gray wings, gigantic bats out of a delirium and a night fever. Eckles, balanced[3] on the narrow Path, aimed his rifle playfully.

"Stop that !" said Travis. "Don't even aim[4] for fun, damn it ! If your gun should[5] go off —"

Eckels flushed. "Where's our *Tyrannosaurus* ?"

Lesperance checked[6] his wrist watch. "Up[7] ahead. We'll bisect his trail in sixty seconds. Look for the red paint, for Christ's sake. Don't shoot till we give the word. Stay on the Path. *Stay on the Path !*"

They moved forward in the wind of morning[8].

"Strange," murmured Eckels. "Up ahead[9], sixty million years, Election Day over. Keith made President. Everyone celebrating. And here we are, a million years lost, and they don't exist. The things we worried about for months, a life-time, not even born or thought about[10] yet."

"Safety catches off, everyone !" ordered Travis. "You, first[11] shot, Eckels. Second, Billings. Third, Kramer."

"I've hunted tiger, wild boar, buffalo, elephant, but Jesus, this is *it*," said Eckels. "I'm shaking like a kid[12]."

"Ah," said Travis.

Everyone stopped.

---

1. **his :** se rapporte à **everyone**, singulier.
2. **broad :** *large, vaste, étendu, ample.* Syn. : **wide.**
3. **balanced : ▲** *en équilibre, calé, affermi,* et non pas « balancé ». *Se balancer :* **to swing, to sway.**
4. **to aim :** 1) *viser ;* 2) *poursuivre un but.* **To aim at a target,** *viser une cible.*
5. **should :** employé après **if** (syn. : **suppose**) est auxiliaire du subjonctif et exprime une supposition. **Suppose he should come,** *suppose qu'il vienne.*
6. **to check :** *vérifier.* **A check-list :** *une liste de contrôle.* **At check-point :** *au point de contrôle.*
7. **up :** n'a pas ici le sens de vers le haut ; simple indication de distance qui intensifie **ahead.**

Eckels eut un pâle sourire.

« Assez, coupa Travis sèchement. Tout le monde debout ! »

Ils étaient prêts à quitter la machine.

La jungle était haute et la jungle était vaste et la jungle couvrait le monde pour des siècles et des siècles. Le ciel était rempli d'étranges sons musicaux et du bruit qu'auraient fait de lourdes toiles flottantes. C'étaient des ptérodactyles s'élevant de leurs ailes grises caverneuses, chauves-souris gigantesques sorties tout droit d'une nuit de délire cauchemardesque. Eckels, en équilibre sur la passerelle étroite, pointa son arme par jeu.

« Arrêtez ça ! s'écria Travis. Ne vous avisez pas de viser, même pour rire, Bon Dieu ! Si par hasard votre fusil partait... »

Eckels devint écarlate. « Et où est notre *Tyrannosaurus* ? »

Lesperance regarda sa montre. « Devant nous. Nous allons croiser sa route dans soixante secondes. Cherchez bien la peinture rouge, pour l'amour du ciel. Ne tirez pas avant que nous n'en donnions le signal. Restez sur la passerelle. *Restez sur la passerelle !* »

Ils avancèrent dans le vent du matin.

« Étrange, murmura Eckels. A soixante millions d'années de nous, le jour des élections est passé. Keith est président. Le pays est en fête. Et nous sommes là, un million d'années en arrière, et ils n'existent même pas. Ces choses qui nous ont préoccupés pendant des mois, pendant toute une vie, ne sont pas encore nées, personne encore pour y penser.

— Lâchez vos crans de sûreté, vous tous ! commanda Travis. Premier à tirer, vous, Eckels. Second, Billings. Troisième Kramer.

— J'ai chassé le tigre, le sanglier, le bison, l'éléphant, mais doux Jésus, cette fois, c'est le bouquet, s'exclama Eckels, je tremble comme un gamin.

— Ah », fit Travis.

Ils s'arrêtèrent.

---

8. **the wind of morning :** poétique pour **the morning wind.**
9. **up ahead :** se rapporte ici non plus à la distance, mais au temps.
10. **born or thought about :** are born and thought about.
11. **first :** numéraux : **first, second, third,** puis on ajoute **th** au chiffre voulu. ⚠ orth. **fifth, ninth, twelfth. Twenty (twentieth),** etc.
12. **a kid :** US pour **child.** Le mot **kid** est de plus en plus souvent employé en GB.

Travis raised his hand. "Ahead," he whispered. "In the mist. There he is. There's[1] His Royal Majesty now."

The jungle was wide and full of twitterings, rustlings, murmurs, and sighs.

Suddenly it all ceased[2], as if someone had shut a door.

Silence.

A sound of thunder.

Out of the mist[3], one hundred yards away, came *Tyrannosaurus rex.*

"Jesus God," whispered Eckels.

"Sh !"

It came on great oiled, resilient[4], striding[5] legs. It towered thirty feet above half of the trees, a great evil[6] god, folding its delicate watchmaker's claws close to its oily reptilian chest. Each lower leg was a piston, a thousand pounds of white bone, sunk in thick ropes of muscle[7], sheathed over in a gleam of pebbled skin like the mail[8] of a terrible warrior. Each thigh was a ton of meat, ivory, and steel mesh. And from the great breathing cage of the upper body[9] those two delicate arms dangled out front[10], arms with hands which might pick up and examine men like toys, while the snake neck coiled[11]. And the head itself, a ton of sculptured stone, lifted easily upon the sky. Its mouth gaped, exposing a fence of teeth like daggers. Its eyes rolled, ostrich eggs, empty of all expression save[12] hunger. It closed its mouth in a death grin. It ran, its pelvic bones crushing[13] aside trees and bushes, its taloned feet clawing damp earth, leaving prints six inches deep[14] wherever it settled its weight[15].

---

1. **there's :** (ici) syn. de here's : *voici.*
2. **to cease :** *cesser.* A cease-fire : *un cessez-le-feu.*
3. **mist :** *brume, brouillard léger.*
4. **resilient :** *élastique, souple, qui rebondit, qui a du ressort.*
5. **to stride :** *marcher à longues enjambées régulières.*
6. **evil :** ['i:vɪl] : *malfaisant, sinistre, néfaste, funeste.* The Evil one, *le Malin ;* evil-minded, *enclin au mal ;* a social evil : *une plaie sociale.*
7. **sunk ... muscle :** m. à m. : *« enfoncée dans d'épaisses cordes de muscles ».*
8. **mail :** ⚠ du français *maille, cotte de mailles.*
9. **upper body :** le haut du corps. L'anglais pense en termes de comparaison entre deux éléments (haut et bas du corps), d'où le comparatif.

Travis leva la main. « Droit devant, chuchota-t-il. Dans le brouillard. Le voilà. Voilà Sa Majesté Royale. »

La jungle était vaste et pleine de gazouillements, de bruissements, de murmures et de soupirs.

Et soudain tout se tut, comme si une porte venait de se fermer. Le silence.

Un coup de tonnerre.

A une centaine de mètres, *Tyrannosaurus Rex* sortait du brouillard.

« Seigneur Jésus, murmura Eckels.

— Chut ! »

Il avançait sur ses énormes pattes, en longues foulées régulières et élastiques. Il dominait de dix mètres la moitié des arbres, Dieu gigantesque et terrible qui serrait contre sa poitrine luisante de reptile de délicates mains d'horloger. Chacune de ses pattes de derrière était un marteau-pilon, une masse de cinq cents kilos d'os, recouverte de puissants nœuds de muscles et revêtue d'une peau rocailleuse et luisante, pareille à l'armure d'un guerrier terrible. Chaque cuisse représentait une tonne de chair, d'ivoire et de mailles d'acier. Et de l'énorme cage thoracique, sortaient ces deux bras graciles qui se balançaient devant lui, terminés par des mains qui auraient pu soulever les hommes comme des jouets, tandis que le cou reptilien se serait enroulé pour les examiner. Quant à la tête, c'était une pierre sculptée d'une tonne qui se dressait sans effort vers le ciel. Il avait la gueule ouverte, découvrant une rangée de dents aussi acérées que des dagues. Ses yeux, deux œufs d'autruche, vides de toute expression sauf la faim, roulaient de droite et de gauche. Il ferma la gueule et eut un rictus de mort. Il se mit à courir, déracinant arbres et buissons de son arrière-train. Les griffes de ses pattes accrochaient la terre humide et laissaient des empreintes profondes de quinze centimètres sous le poids de son corps.

---

10. **front :** adverbe : *devant.*
11. **coiled :** cf. **coil** : *enroulement, anneau, rouleau, bobine.*
12. **save :** *sauf, mis à part.* De **to save,** *mettre de côté.*
13. **to crush :** *écraser, écrabouiller, aplatir.* **Crushed with grief,** *accablé de douleur.*
14. **deep :** adv. servant à indiquer la profondeur. La question correspondante sera : **How deep was it ?**
15. **wherever ... weight :** m. à m. : *« partout où il posait sa masse ».*

It ran with a gliding ballet step, far too poised and balanced[1] for its ten tons. It moved into a sunlit arena warily[2], its beautifully reptile hands[3] feeling the air.

"My God !" Eckels twitched his mouth. "It could reach up and grab[4] the moon."

"Sh !" Travis jerked angrily. "He hasn't seen us yet."

"It can't be[5] killed." Eckels pronounced this verdict quietly, as if there could be no argument[6]. He had weighed[7] the evidence[8] and this was his considered[9] opinion. The rifle in his hands seemed a cap gun. "We were fools to come. This is impossible."

"Shut up !" hissed Travis.

"Nightmare."

"Turn around," commanded Travis. "Walk quietly to the Machine. We'll remit one-half your fee[10]."

"I didn't realize it would be this *big*," said Eckels. "I miscalculated, that's all. And now I want out[11]."

"It sees us !"

"There's the red paint on its chest !"

The Thunder Lizard raised itself. Its armored flesh glittered like a thousand green coins[12]. The coins, crusted with slime, steamed. In the slime, tiny insects wriggled, so that the entire body seemed to twitch and undulate, even while the monster itself did not move. It exhaled. The stink of raw flesh blew down the wilderness.

"Get me out of here," said Eckels. "It was never like this before. I was always sure I'd come through alive.

---

1. **far ... balanced :** m. à m. : *« bien trop d'aplomb et en équilibre ».*
2. **warily :** ⚠ ne pas confondre avec **wearily,** *avec lassitude.* To be wary : *être prudent, avisé, sur ses gardes.*
3. **beautifully reptile hands :** m. à m. : *« mains parfaitement reptiliennes ».* ⚠ différent de **beautiful reptile hands,** *de belles mains de reptile* (voir note 1, page 40).
4. **to grab :** *saisir d'un geste vif, empoigner.* To grab hold of : *s'accrocher, se raccrocher à.*
5. **can't be :** can marque ici la conviction de celui qui parle (je suis convaincu qu'on ne peut le tuer).
6. **argument :** ⚠ 1) *discussion, dispute ;* 2) *argument.*
7. **to weigh** [wei] **:** *peser, soupeser, évaluer.*

Il courait d'un pas chassé, comme un pas de danse, avec un équilibre et une agilité incroyables pour ses dix tonnes. Il s'avança prudemment dans une nappe de soleil, ses mains parfaites de reptile s'agitant dans l'air.

« Mon Dieu ! s'écria Eckels en grimaçant. S'il se dressait sur ses pattes, il pourrait attraper la lune.

— Chut ! jeta Travis, furieux. Il ne nous a pas encore vus.

— On ne pourra jamais le tuer. » Eckels prononça ce verdict calmement, comme s'il n'y avait aucune discussion possible. Il venait de prendre la mesure de la situation. Le fusil dans sa main lui semblait un jouet d'enfant. « Nous avons été stupides de venir. C'est impossible.

— Fermez-la ! siffla Travis.

— C'est un cauchemar.

— Faites demi-tour, ordonna Travis. Marchez tranquillement jusqu'à la machine. Nous vous rembourserons la moitié de vos frais.

— Je n'avais pas compris qu'il serait si colossal, dit Eckels. Je me suis trompé, c'est tout. Maintenant je veux partir d'ici.

— Il nous a vus !

— Regardez la peinture rouge sur sa poitrine ! »

Le Lézard Tonnant se dressa sur ses pattes. Sa carapace brillait de mille éclats métalliques verts. Les écailles fumaient, incrustées d'une boue visqueuse où grouillaient des insectes minuscules, si bien que le corps entier semblait tressaillir et onduler, quand bien même le monstre ne bougeait pas. Il lâcha un souffle et une puanteur de viande crue se répandit dans la brousse.

« Sortez-moi d'ici, dit Eckels. Ça n'a jamais été comme ça avant. J'étais toujours sûr de m'en sortir vivant.

---

8. **evidence :** ▲ *signe, preuve, indice, témoignage.* ⚠ nom collectif, ne prend jamais d's. *Des preuves,* **evidence.** *Une évidence,* **a plain, an obvious fact.**
9. **to consider :** *considérer, examiner, étudier, prendre en compte, envisager.*
10. **fee :** 1) *honoraires, cachet ;* 2) *frais, droits d'entrée ;* 3) *cotisation.*
11. **I want out :** US, pop. pour : **I want to get out.**
12. **like ... coins :** m. à m. : *« comme mille pièces vertes ».*

I had good guides, good safaris, and safety[1]. This time, I figured wrong[2]. I've met my match[3] and admit it. This is too much for me to[4] get hold of."

"Don't run," said Lesperance. "Turn around[5]. Hide[6] in the Machine."

"Yes." Eckels seemed to be numb. He looked at his feet as if trying to make them move. He gave a grunt of helplessness.

"Eckels !"

He took a few steps, blinking, shuffling.

"Not *that* way !"

The Monster, at the first motion[7], lunged[8] forward with a terrible scream. It covered one hundred yards in four seconds. The rifles jerked up and blazed fire. A windstorm from the beast's[9] mouth engulfed them in the stench of slime and old blood. The Monster roared, teeth glittering with sun.

Eckels, not looking back, walked blindly to the edge of the Path, his gun limp in his arms, stepped off the Path, and walked, not knowing it, in the jungle. His feet sank into green moss. His legs moved him, and he felt alone and remote from the events behind.

The rifles cracked again. Their sound was lost in shriek[10] and lizard thunder. The great lever of the reptile's tail swung up, lashed sideways[11]. Trees exploded in clouds of leaf and branch. The Monster twitched its jeweler's hands down to fondle at the men, to twist them in half, to crush them like berries, to cram them into its teeth and its screaming throat. Its boulder-stone eyes leveled[12] with the men. They saw themselves mirrored. They fired at the metallic eyelids and the blazing black iris.

---

1. **safety :** *sécurité, sûreté, salut.* A safety pin, *une épingle de nourrice.* Safety measures, *mesures de sécurité.*
2. **wrong :** adv. : *de manière erronée, faussement, à tort.*
3. **match :** ⚠ *égal, pendant, assortiment.* To be a good match, *être un excellent parti.* To meet one's match, *trouver à qui parler.* Matchless, *sans égal, incomparable.*
4. **too much for me to :** les tournures du type too heavy for me to carry peuvent s'employer avec des verbes à préposition. Cf. it's too small a flat for us to live in, *l'appartement est trop petit pour qu'on y vive.*

J'avais de bons guides, les safaris étaient valables et sûrs. Cette fois-ci, j'ai mal choisi. Je reconnais que j'ai trouvé plus fort que moi. C'est trop pour moi, je ne peux pas faire face.

— Ne courez pas, dit Lesperance. Faites demi-tour. Cachez-vous dans la machine.

— Oui. » Eckels semblait engourdi. Il regardait ses pieds comme pour les forcer à marcher. Il poussa un grognement d'impuissance.

« Eckels ! »

Il fit quelques pas, traînant les pieds, clignant des yeux.

« Pas par *là* ! »

Le monstre, dès le premier mouvement, plongea en avant avec un hurlement terrible. Il couvrit cent mètres en quatre secondes. Les hommes épaulèrent et firent feu. Un tourbillon, sorti de la gueule du monstre, les enveloppa dans une puanteur de vase et de sang caillé. Il rugit et ses dents étincelèrent au soleil.

Eckels, sans se retourner, avança en aveugle jusqu'au bord de la passerelle, tenant à peine son fusil. Il en descendit, et, sans s'en rendre compte, se mit à marcher dans la jungle. Ses pieds s'enfonçaient dans la mousse verte. Ses jambes le portaient toutes seules ; il se sentait abandonné et à cent lieues de ce qui se passait derrière lui.

Les fusils crépitèrent à nouveau. Leur bruit se perdit dans les rugissements formidables du lézard. Le reptile fouetta les fourrés du puissant levier de sa queue et les arbres explosèrent en nuages de feuilles et de branches. Le monstre tortilla ses mains d'orfèvre vers les hommes, pour les étreindre, les plier en deux, les écraser comme des baies, les fourrer entre ses dents et dans sa gueule mugissante. Ses yeux, pareils à d'énormes galets, s'abaissèrent au niveau des hommes qui purent s'y voir reflétés. Ils firent feu sur les paupières métalliques et les pupilles noires étincelantes.

---

5. **turn around :** US ; GB, **turn round.**
6. **to hide, hid, hid :** *cacher, se cacher.*
7. **motion :** 1) *mouvement ;* 2) *geste, signe.*
8. **to lunge :** syn. : **to plunge forward,** *plonger en avant.*
9. **beast :** 1) *bête* (quadrupède) ; 2) fam. : *goujat, sagouin.* ⚠ *une petite bête,* **a small animal, a bug.**
10. **shriek :** *cri* de souffrance ou d'effroi.
11. **sideways :** *latéralement, de côté.*
12. **to level :** *mettre horizontal, rendre plan, mettre à niveau.* Notez l'orth. US : un seul l. GB, **levelled.**

Like a stone idol[1], like a mountain avalanche, *Tyrannosaurus Rex* fell. Thundering, it clutched trees, pulled[2] them with it. It wrenched[3] and tore[4] the metal Path. The men flung themselves back and away. The body hit[5], ten tons of cold flesh and stone. The guns fired. The Monster lashed[6] its armored tail, twitched its snake jaws, and lay still. A fount of blood[7] spurted from its throat. Somewhere inside, a sac of fluids burst. Sickening[8] gushes drenched[9] the hunters. They stood, red and glistening.

The thunder faded.

The jungle was silent. After the avalanche, a green peace. After the nightmare, morning.

Billings and Kramer sat on the pathway and threw up. Travis and Lesperance stood with smoking rifles, cursing steadily[10].

In the Time Machine, on his face, Eckels lay shivering. He had found his way back to the Path, climbed into the Machine.

Travis came walking, glanced at Eckels, took cotton gauze[11] from a metal box, and returned to the others, who were sitting on the Path.

"Clean up."

They wiped the blood from their helmets. They began to curse[12] too. The Monster lay, a hill of solid flesh. Within[13], you could hear the sighs and murmurs as the furthest[14] chambers of it died, the organs malfunctioning, liquids running a final instant from pocket to sac to spleen[15], everything shutting off, closing up forever.

---

1. **idol :** ⚠ prononciation : [ˈaɪdl].
2. **to pull :** ≠ to push : *tirer ≠ pousser.*
3. **to wrench :** *tordre, tourner, arracher violemment.* To wrench a key, *fausser une clé.* To wrench one's ankle, *se fouler la cheville.*
4. **tore :** de to tear, tore, torn : *déchirer.* A tear : *une déchirure.* Heart-tearing, *déchirant.*
5. **to hit, hit, hit :** *heurter, frapper.* ⚠ to hurt : *faire mal.*
6. **to lash :** *fouetter, cingler, battre.* To lash its tail, *se battre les flancs de la queue.*
7. **blood :** ⚠ prononciation : [blʌd].
8. **to sicken :** 1) *rendre malade, donner la nausée ;* 2) *révolter, écœurer, dégoûter.*

Comme une idole de pierre, comme une avalanche de rochers, *Tyrannosaurus* s'écroula. Dans un vacarme de tonnerre, il déracina les arbres qu'il avait empoignés, tordit la passerelle et l'arracha. Les hommes se reculèrent précipitamment. Le corps heurta le sol, dix tonnes de chair inerte et de pierre. Les fusils crépitèrent. Le monstre battit l'air de sa queue écailleuse, tordit ses mâchoires de serpent et ne bougea plus. Un torrent de sang jaillit de sa poitrine. Dans ses entrailles, une poche de liquide éclata quelque part. Des jets écœurants aspergèrent les chasseurs, debout, immobiles et luisants de sang.

Le tonnerre s'était tu.

La jungle était silencieuse. Après l'avalanche, la paix de la nature. Après le cauchemar, le matin.

Billings et Kramer s'assirent sur le sentier et se mirent à vomir. Travis et Lesperance, leur fusil fumant à la main, n'arrêtaient pas de jurer.

Dans la machine, couché face contre terre, Eckels frissonnait. Il avait retrouvé le chemin de la passerelle et était monté dans la machine.

Travis s'approcha, jeta un coup d'œil à Eckels, prit de la gaze dans une boîte de métal et repartit vers les autres, assis sur la passerelle.

— Nettoyez-vous. »

Ils essuyèrent le sang sur leur casque, se mettant à jurer, eux aussi. Le monstre gisait, pareil à une montagne de chair compacte. A l'intérieur, on entendait des soupirs et des murmures, au fur et à mesure que les organes les plus profonds cessaient de fonctionner, les liquides s'écoulant une dernière fois de poche en sac et de conduit en cavité ; tout s'enrayait, se fermait à jamais.

---

9. **to drench :** *tremper, mouiller.* I got drenched to the skin, *je suis trempé comme une soupe.*
10. **steadily :** *régulièrement, de façon continue.*
11. **cotton gauze :** ⚠ pron. [gɔːz] *; gaze de coton.*
12. **to curse :** 1) *maudire ;* 2) *jurer, sacrer.* Curse it ! *le diable l'emporte !* to curse God, *blasphémer.*
13. **within :** *à l'intérieur.* S'applique aussi à la durée : within three days, *avant trois jours.*
14. **furthest :** superlatif irrégulier de far, *loin.* Aussi : farthest.
15. **spleen :** 1) *rate ;* 2) *humeur noire, dépit.*

It was like standing by[1] a wrecked locomotive or a steam shovel at quitting time[2], all valves being released[3] or levered tight. Bones cracked ; the tonnage of its own flesh, off balance[4], dead weight, snapped[5] the delicate forearms, caught underneath[6]. The meat settled, quivering.

Another cracking sound. Overhead, a gigantic tree branch broke from its heavy mooring[7], fell. It crashed[8] upon the dead beast with finality.

"There." Lesperance checked his watch. "Right on time. That's the giant tree that was scheduled[9] to fall and kill this animal originally." He glanced at the two hunters. "You want the trophy picture ?"

"What ?"

"We can't take a trophy back to the Future. The body has to stay right here where it would have died originally, so the insects, birds, and bacteria can get at it, as they were intended to. Everything in balance. The body stays. But we *can* take a picture of you standing near it."

The two men tried to think, but gave up, shaking their heads.

They let themselves be led along the metal Path. They sank wearily into the Machine cushions. They gazed back at the ruined[10] Monster, the stagnating mound, where already strange reptilian birds and golden insects were busy[11] at the steaming armor.

A sound on the floor of the Time Machine stiffened them. Eckels sat there, shivering.

"I'm sorry," he said at last.

"Get up !" cried Travis.

Eckels got up.

---

1. **it was ... by :** m. à m. : *« c'était comme rester à côté ».*
2. **at quitting time :** m. à m. : *« au moment de s'en aller ».* Ici : *à la fin de la journée de travail.*
3. **to release** [ri'li:s] **:** 1) (ici) *libérer, relâcher, desserrer ;* 2) *mettre en vente, en circulation ;* 3) *libérer, acquitter.*
4. **off balance :** *qui a perdu l'équilibre.*
5. **to snap :** *se briser, se rompre, casser net* avec un bruit sec et sous l'effet d'une tension excessive.
6. **underneath :** *prép., syn. de* under, *au-dessous de.* Mais peut aussi être adverbe, (ici) : *en dessous.*

On aurait cru entendre une locomotive accidentée ou une pelleteuse à vapeur qu'on laisse s'éteindre, toutes soupapes ouvertes et manettes bloquées. Les os craquèrent ; la masse de chair, poids mort déséquilibré, cassa net les délicates pattes de devant prises sous elle. Le tas de viande s'affaissa, tremblotant.

Soudain, un autre craquement. Loin au-dessus d'eux, une branche gigantesque se cassa et tomba. Elle alla s'écraser en plein sur la bête morte.

« Et voilà ! » Lesperance regarda sa montre. « Juste à l'heure. C'est l'arbre géant qui devait, originellement, tomber sur l'animal et le tuer. — Il jeta un coup d'œil aux deux chasseurs. — Vous voulez une photo-souvenir ?

— Quoi ?

— Nous ne pouvons pas emporter un trophée dans le futur. Le corps doit rester exactement là où il serait mort originellement, pour que les insectes, les oiseaux et les bactéries puissent le trouver, comme prévu. Équilibre préservé. Le corps reste là. Mais nous pouvons toujours vous photographier devant lui. »

Les deux hommes tentèrent de réfléchir, mais, en secouant la tête, ils y renoncèrent.

Ils se laissèrent conduire le long de la passerelle métallique et s'affaissèrent dans les coussins de la machine. Ils contemplèrent encore une fois le monstre vaincu, montagne inerte, carapace fumante où déjà d'étranges reptiles ailés et des insectes dorés étaient à l'œuvre.

Un bruit sur le sol de la machine les fit se redresser. Eckels s'était assis et tremblait.

« Excusez-moi, dit-il enfin.

— Levez-vous ! » jeta Travis.

Eckels se leva.

---

7. **from its heavy mooring :** m. à m. : *« détachée de son point d'ancrage massif »*.
8. **to crash :** ⚠ et non « to scrash » !, *s'effondrer, s'écraser au sol, entrer en collision.* **A crash** (syn. : **an accident**) : *un accident* (voiture, avion).
9. **to schedule,** GB [ˈʃedjuːl], US [ˈskedjuːl] **:** *programmer, ordonnancer, établir un plan.*
10. **to ruin :** *ruiner, abîmer, gâcher, détériorer.*
11. **to be busy :** *être occupé, affairé.* Peut être suivi des prépositions **at, with** ou **about.**

"Go out on that Path alone," said Travis. He had his rifle pointed. "You're not coming back[1] in the Machine. We're leaving you here !"

Lesperance seized Travis' arm. "Wait —"

"Stay out of this !" Travis shook his hand away[2]. "This son of a bitch[3] nearly[4] killed us. But it isn't *that* so much. Hell, no. It's his *shoes* ! Look at them ! He ran off the Path. My God, that *ruins* us ! Christ knows how much we'll forfeit[5]. Tens of thousands of[6] dollars of insurance ! We guarantee no one leaves the Path. He left it. Oh, the damn fool ! I'll have to report to the government. They might revoke our license[7] to travel. God knows *what* he's done to Time, to History !"

"Take it easy, all he did was kick up some dirt."

"How do we *know* ?" cried Travis. "We don't know anything ! It's all a damn mystery ! Get out there, Eckels !"

Eckels fumbled his shirt. "I'll pay anything. A hundred thousand dollars !"

Travis glared at Eckels' checkbook and spat. "Go out there. The Monster's next to[8] the Path[9]. Stick your arms up to[10] your elbows in his mouth[11]. Then you can come back with us."

"That's unreasonable !"

"The Monster's dead, you yellow bastard. The bullets[12] ! The bullets can't[13] be left behind. They don't belong in the Past ; they might change something. Here's my knife. Dig[14] them out !"

---

1. **you're not coming back :** le présent progressif a ici une valeur d'obligation (de refus), dans un contexte futur.
2. **shook his hand away :** m. à m. : *« repoussa sa main d'une secousse ».*
3. **son of a bitch :** littéralement : *fils de chienne.* En langue populaire, a bitch : *une garce.* Ne pas confondre avec a witch : *une sorcière.*
4. **nearly :** *presque,* syn. : almost. Nearly n'est jamais suivi d'un terme négatif. *Presque jamais,* hardly ever.
5. **to forfeit :** *se voir retirer, se voir confisquer, perdre* (par confiscation). A forfeit, *un dédit.*
6. **thousands of :** hundred, thousand, million, dozen et ten, indiquant une approximation, sont des noms variables suivis de of ; dozens of cars, etc.
7. **license :** US pour GB, licence. Mais to license : toujours -se.

« Vous sortez sur la passerelle. » Travis le menaçait de son fusil. « Vous ne reviendrez pas dans la machine, nous vous laissons là ! »

Lesperance saisit le bras de Travis. « Attends...

— Ne te mêle pas de ça ! » Travis dégagea son bras. « Ce salaud a failli nous faire tuer. Mais ce n'est pas tellement *ça*. Fichtre, non. Ce sont ses *chaussures* ! Regarde-les ! Il est sorti de la passerelle. Bon Dieu, c'est notre ruine ! Dieu seul sait combien nous allons devoir payer. Des dizaines de milliers de dollars d'assurance ! Nous nous portons garants que personne ne quitte la passerelle. Lui, il l'a quittée. Ah, le satané crétin ! je vais devoir en rendre compte au gouvernement. Ils peuvent nous retirer notre permis de voyager. Dieu sait ce qu'il a pu changer au temps, à l'Histoire !

— Calme-toi, il n'a rien fait d'autre que déplacer un peu de boue.

— Qu'est-ce qu'on en sait ? s'écria Travis. Nous ignorons tout ! Tout ça, c'est un sacré mystère ! Sortez, Eckels ! »

Eckels fouilla dans sa chemise. « Je paierai ce qu'il faudra. Cent mille dollars ! »

Travis, furibond, regarda le carnet de chèques d'Eckels et cracha.

« Sortez. Le monstre est au bord de la passerelle. Enfoncez les bras dans sa gueule, jusqu'aux coudes. Alors vous pourrez revenir avec nous.

— Ce n'est pas raisonnable !

— Le monstre est mort, sale bâtard. Les balles ! On ne peut pas laisser les balles. Elles n'appartiennent pas au passé ; elles pourraient changer quelque chose. Voici mon couteau. Allez les sortir ! »

Licence, *autorisation, permission, brevet, patente.* **Driving licence,** *permis de conduire* (US, **driver's license**).

8. **next to :** syn. : **near.**

9. **path :** *chemin, sentier, allée, piste.*

10. **up to :** *jusqu'à.* **There were up to 300 people,** *il y eut jusqu'à 300 personnes.*

11. **mouth :** l'anglais n'a pas l'équivalent du mot « gueule ». *La gueule d'un animal,* **mouth, jaws** ; *la gueule d'un fusil,* **barrel.** *Ta gueule !* **Shut up !**

12. **bullets :** ▲ *balles de fusil, de pistolet. Boulets de canon,* **cannonballs.**

13. **can't :** can exprime ici l'obligation. Le contraire serait : **must be left behind.**

14. **to dig, dug, dug :** *creuser.* **To dig out,** *extraire.*

The jungle was alive again, full of the old tremorings and bird cries. Eckels turned slowly to regard the primeval garbage dump[1], that hill of nightmares and terror. After a long time, like a sleepwalker, he shuffled out along the Path.

He returned, shuddering, five minutes later, his arms soaked and red to the elbows. He held out his hands. Each held a number of steel bullets. Then he fell. He lay where he fell, not moving.

"You didn't have to make him do that," said Lesperance.

"Didn't I[2] ? It's too early to tell." Travis nudged the still body. "He'll live. Next time he won't go hunting game like this. Okay. " He jerked his thumb wearily at Lesperance. "Switch on. Let's go home."

1492[3]. 1776. 1812.

They cleaned their hands and faces. They changed their caking[4] shirts and pants. Eckels was up and around again, not speaking. Travis glared at him for a full[5] ten minutes.

"Don't look at me," cried Eckels. "I haven't done anything."

"Who can tell[6] ?"

"Just ran off the Path, that's all, a little mud on my shoes — what do you want me to do — get down and pray ?"

"We might need it. I'm warning you, Eckels, I might kill you yet. I've got my gun ready."

"I'm innocent. I've done nothing !"

1999. 2000. 2055.

The Machine stopped.

"Get out," said Travis.

The room was there as they had left it[7]. But not the same as[8] they had left it.

---

1. **garbage :** *ordures, détritus, immondices.* Garbage dump, *tas d'ordures, décharge.*
2. **didn't I :** réponse courte d'étonnement du style : vraiment ? Ah bon ! Ah tiens ! exprimée par le seul auxiliaire, qui est accentué.
3. **1492 :** se dira : fourteen ninety two. 1776, seventeen seventy six.
4. **caking :** *qui durcit, qui raidit.* Ici, *raidis* (par le sang séché). Shoes caked with mud, *chaussures crottées.*

La jungle se remettait à vivre, pleine à nouveau des frémissements et des cris d'oiseaux. Eckels se retourna lentement pour contempler l'immonde masse préhistorique, cette montagne de cauchemar et de terreur. Après un long moment, comme un somnambule, il prit le sentier d'un pas traînant.

Il revint cinq minutes plus tard, tremblant, les bras trempés de sang jusqu'aux coudes. Il tendit les mains. Chacune contenait un certain nombre de balles d'acier. Puis il s'affaissa et ne bougea plus.

« Tu n'avais pas à lui faire faire ça, dit Lesperance.

— Ah, non ? C'est trop tôt pour le dire. » Travis poussa du pied le corps immobile. « Il vivra. La prochaine fois il ne participera plus à des chasses de ce genre. D'accord ? » Il fit du pouce un geste las vers Lesperance. « Mets en marche. On rentre. »

1492. 1776. 1812.

Ils se lavèrent le visage et les mains. Ils changèrent leurs chemises et leurs pantalons raidis par le sang. Eckels s'était relevé et gardait le silence. Durant dix bonnes minutes, Travis ne cessa de le fixer d'un regard furieux.

« Ne me regardez pas comme ça, s'écria Eckels. Je n'ai rien fait.

— Qui peut le dire ?

— Je suis juste sorti de la passerelle, c'est tout, j'ai un peu de boue sur mes chaussures. Que voulez-vous que je fasse ? Me mettre à genoux et prier ?

— Ce serait peut-être utile. Je vous préviens, Eckels, je pourrais encore vous tuer. Mon fusil est chargé.

— Je suis innocent. Je n'ai rien fait ! »

1999. 2000. 2055.

La machine s'arrêta.

« Sortez », dit Travis.

Ils se trouvaient bien dans la pièce qu'ils avaient quittée. Mais elle n'était plus tout à fait la même.

---

5. **a full :** singulier. C'est ici la période de temps (période de dix minutes) qui est prise en compte pour l'accord.
6. **who can tell ? :** m. à m. : *« qui peut dire ? »* **To tell** : (ici) *savoir, discerner, deviner.* **If I could tell,** *si je savais.*
7. **as they had left it :** la phrase est ambiguë, mais la suite en précise le sens : **was there as it was when they had left it.**
8. **as :** la locution : **the same,** *(le) la même,* qui exprime une comparaison d'égalité, est obligatoirement suivie de **as** et non de **than**. Ex. : **I've got the same friends as you (have).**

The same man sat behind the same desk. But the same man did not quite sit behind the same desk.

Travis looked around swiftly. "Everything, okay here[1] ?" he snapped.

"Fine[2]. Welcome home[3] !"

Travis did not relax. He seemed to be looking at the very atoms of the air itself, at the way the sun poured through the one[4] high window.

"Okay, Eckels, get out. Don't ever come back."

Eckels could not move.

"You heard me," said Travis. "What're you *staring* at ?"

Eckels stood smelling of[5] the air, and there was a thing to the air, a chemical taint[6] so subtle, so slight, that[7] only a faint cry of his subliminal senses warned him it was there. The colors, white, gray[8], blue, orange, in the wall, in the furniture, in the sky beyond the window, were... were... And there was *a feel.* His flesh twitched[9]. His hands twitched. He stood drinking the oddness[10] with the pores of his body. Somewhere, someone must have been screaming one of those whistles[11] that only a dog can hear. His body screamed silence[12] in return. Beyond this room, beyond this wall, beyond this man who was not quite the same man seated at this desk that was not quite the same desk... lay an entire world of streets and people. What sort of world it was now, there was no telling[13]. He could feel them moving there, beyond the walls, almost, like so many chess pieces blown in a dry wind...

---

1. **everything okay here ? :** élipse de l'auxiliaire en début de phrase : familier. Okay : orth. US ; le plus souvent abrégé en O.K.
2. **fine :** réponse classique à la question **how are you ?** Signifie simplement : *ça va.*
3. **home :** a ici le sens général de : *au pays.*
4. **the one :** *l'unique.* Le numéral **one**, plus fort que l'article **a**, correspond au français : *un(e) seul(e).*
5. **smell of :** licence littéraire. **To smell** est transitif.
6. **taint :** ▲ 1) *souillure, tache, corruption ;* 2) *tare ;* 3) *trace, altération.*
7. **so slight, that :** *tellement* + adj. + *que.*

Le même homme était là, derrière son bureau. Mais ce n'étaient plus tout à fait ni le même homme ni le même bureau.

Travis jeta un regard rapide autour de lui. « Tout va bien, ici ? s'enquit-il brutalement.

— Oui, soyez les bienvenus ! »

Travis restait tendu. Il semblait observer les molécules d'air elles-mêmes, et la façon dont le soleil entrait par la haute fenêtre.

« C'est bon, Eckels, partez. Et ne revenez jamais. »

Eckels était incapable de bouger.

« Vous m'avez entendu ? dit Travis. Qu'est-ce que vous fixez comme ça ? »

Eckels, debout, humait l'air et dans l'air, il y avait quelque chose, un relent chimique si subtil, si ténu, qu'il n'en était averti que par une perception quasi inconsciente. Les couleurs du mur, des meubles, du ciel au-dehors — blanc, gris, bleu, orange —, étaient... étaient... Et puis il y avait cette sensation. Un hérissement sur la peau, sur les mains. Il restait là, tous les pores de son corps s'imbibant de cette étrangeté. Comme si quelqu'un, quelque part, avait lancé un de ces coups de sifflet que seul un chien peut entendre. Tout son corps, en réponse, poussait une clameur de silence. Au-delà de cette pièce, de ce mur, de cet homme qui n'était pas tout à fait le même, assis à ce bureau qui n'était pas tout à fait le même bureau... il y avait tout un monde de rues et de gens. Quel serait ce monde, à présent, il ne pouvait le deviner. Il les sentait se mouvoir, là, juste derrière le mur, comme les pièces d'un jeu d'échecs poussées par le vent...

---

8. **gray :** US ; GB, grey. L'auteur emploie indistinctement les deux orthographes.
9. **his flesh twitched :** m. à m. : *« sa chair se crispa ».*
10. **oddness :** *bizarrerie, étrangeté.*
11. **a whistle :** *un sifflet, un coup de sifflet.* On dira **to utter, to produce a whistle** et surtout **to whistle,** quand on siffle avec la bouche, et **to blow, to sound a whistle,** quand on souffle dans un sifflet.
12. **screamed silence :** Bradbury emploie volontiers transitivement des verbes normalement intransitifs. Voir note 7, page 154.
13. **there was no telling :** *il n'y avait pas moyen de le dire.*

But the immediate thing was the sign[1] painted on the office wall, the same sign he had read earlier today on first entering[2].

Somehow, the sign had changed :

TYME SEFARI INC.
SEFARIS TU ANY YEER EN THE PAST.
YU NAIM THE ANIMALL.
WEE TAEK YOU THAIR.
YU SHOOT ITT.

Eckels felt himself fall into a chair. He fumbled crazily at the thick slime[3] on his boots. He held up a clod of dirt[4], trembling. "No, it *can't* be. Not a *little* thing like that. No !"

Embedded in the mud, glistening green and gold[5] and black, was a butterfly, very beautiful, and very[6] dead.

"Not a little thing like *that*[7] ! Not a butterfly !" cried Eckels.

It fell to the floor, an exquisite thing, a small thing that could upset[8] balances and knock down a line of small dominoes and then big dominoes and then gigantic dominoes, all down the years across Time. Eckels' mind whirled[9]. It *couldn't* change things. Killing one butterfly couldn't be *that* important ! Could it ?

His face was cold. His mouth trembled, asking : "Who — who won the presidential election yesterday ?"

---

1. **a sign :** 1) *une enseigne ;* 2) *un panneau, un écriteau, une pancarte ;* 3) *un poteau de signalisation, un panneau indicateur.*
2. **on entering :** notez l'emploi de la préposition **on**, lorsque l'action exprimée par le gérondif est immédiatement antérieure à celle de la principale. Cf. **on hearing the news she cried,** *en entendant la nouvelle, elle se mit à pleurer.*
3. **slime :** *vase, limon, boue.*
4. **dirt :** *la saleté.* **Dirty,** *sale.* Pour une personne, **filthy.**
5. **gold :** *or,* plutôt que *doré* qui serait **golden,** ou **gilded** *(couvert d'or).*
6. **very :** adv. est employé dans des formes emphatiques. Cf. **the very best,** *tout ce qu'il y a de mieux.*
7. ***that :*** italiques : l'anglais a beaucoup plus tendance que le français a utiliser cette typographie d'insistance convention-

Mais ce qu'il perçut tout de suite, ce fut l'inscription peinte sur le mur, la même qu'il avait lue le matin en pénétrant dans le bureau.

L'inscription avait changé :

STÉ DES SAFARYS A TRAVAIR LES AGES
N'INPORTE QUAN DAN LE PASSAI
VOU CHOISISSAI VOTRE ANYMAL
NOU VOUS TRANSPORTTON
VOU LE TUAI

Eckels se laissa tomber sur une chaise. Comme un dément il fouilla la boue épaisse qui recouvrait ses bottes. Il en détacha une motte en tremblant. « Non, ce n'est pas *possible*. Pas une si petite chose ! Non ! »

Incrusté dans la boue, chatoyant dans ses teintes vert, or et noir, il y avait un papillon, absolument magnifique, mais absolument mort.

« Pas une petite chose comme ça ! Pas un papillon ! » s'écria Eckels.

Le papillon tomba sur le sol, petite chose exquise qui était capable de détruire l'équilibre du monde, de renverser d'abord une petite rangée de dominos, puis des rangées de plus en plus gigantesques, tout au long des ans et pour l'éternité. Eckels sentit sa tête tourner. Ça ne pouvait pas changer les choses. Tuer un papillon ne pouvait pas avoir autant d'importance ! Non, n'est-ce pas ?

Son visage était glacé. Sa bouche trembla, balbutia :

« Qui — qui a gagné l'élection présidentielle, hier ? »

---

nelle. Le français utilisera plutôt le registre lexical : *tout à fait, bien, vraiment*... Le mode emphatique peut aussi apparaître sous forme syntaxique, avec l'aux. **do** à la forme affirmative. En anglais parlé, c'est l'intonation qui sera emphatique.

8. **to upset :** 1) *renverser ;* 2) *bouleverser, désorganiser.* **I was upset by his call,** *son coup de fil m'a bouleversé.*

9. **to whirl :** *tourbillonner, tournoyer.* **My head's whirling,** *j'ai le vertige, la tête qui tourne.*

The man behind the desk[1] laughed. "You joking[2] ? You know damn well. Deutscher, of course ! Who else ? Not that damn weakling Keith. We got[3] an iron[4] man now, a man with guts, by God !" The official[5] stopped. "What's wrong ?"

Eckels moaned. He dropped to his knees. He scrabbled at the golden butterfly with shaking fingers. "Can't we," he pleaded to the world, to himself, to the officials, to the Machine, "can't we take it *back*, can't we *make* it alive again ? Can't we start over ? Can't we —"

He did not move. Eyes shut, he waited, shivering. He heard Travis breathe loud in the room ; he heard Travis shift his rifle, click the safety catch, and raise the weapon.

There was a sound of thunder.

---

1. **desk :** 1) *bureau* (meuble) ; 2) US, *secrétariat, réception.*
2. **you joking :** élision incorrecte de l'auxiliaire.
3. **we got :** US pour we've got.
4. **iron :** ⚠ prononciation [aɪən].
5. **official :** subst. : *responsable, fonctionnaire, agent.*

L'homme derrière le comptoir se mit à rire. « Vous plaisantez ? Vous le savez diantre bien. Deutscher, bien sûr ! Qui voulez-vous que ce soit ? Pas ce foutu minable de Keith. On a un homme de fer, maintenant, un type qui a des tripes, Bon Dieu ! » L'employé s'arrêta. « Ça ne va pas ? »

Eckels gémit. Il se laissa tomber à genoux. Il saisit frénétiquement le papillon doré de ses doigts tremblants. « Ne pouvons-nous », supplia-t-il, s'adressant au monde, aux employés, à la machine et à lui-même, « ne pouvons-nous pas le rapporter, le faire revivre ? Ne pouvons-nous pas repartir de zéro ? Ne pouvons-nous pas... ? »

Il ne bougeait pas. Les yeux fermés, il attendait, frissonnant. Il entendit Travis respirer bruyamment dans la pièce ; il l'entendit prendre son fusil, lâcher le cran de sûreté et lever l'arme.

Il y eut un coup de tonnerre.

Révisions

Vous avez rencontré dans la nouvelle que vous venez de lire l'équivalent des expressions françaises suivantes.

Vous en souvenez-vous ?

1. Nous ne garantissons rien, sauf les dinosaures.
2. Il vous dira sur quoi tirer et où viser.
3. Cela fait réfléchir.
4. Dieu merci, c'est Keith qui a gagné !
5. Le Christ n'est pas encore né.
6. Ne tirez sur aucun animal sans notre accord.
7. Comment saurons-nous sur quel animal tirer ?
8. Placez vos deux premières balles dans les yeux.
9. Je note combien de fois ils se reproduisent.
10. Nous ne pouvons pas le rater.
11. Ne tirez pas avant que nous n'en donnions le signal.
12. Sortez-moi d'ici !
13. J'ai rencontré plus fort que moi, je l'admets.
14. Ce salaud a failli nous tuer !
15. On a un homme de fer, un type qui a des tripes.
16. Ne pouvons-nous repartir de zéro ?

1. **We guarantee nothing except the dinosaurs.**
2. **He'll tell you what and where to shoot.**
3. **It makes you think.**
4. **Thank God, Keith won !**
5. **Christ isn't born yet.**
6. **Don't shoot any animal we don't okay.**
7. **How do we know which animal to shoot ?**
8. **Put your first two shots into the eyes.**
9. **I note how many time they mate.**
10. **We can't miss it.**
11. **Don't shoot till we give the word.**
12. **Get me out of here !**
13. **I've met my match and admit it !**
14. **This son of a bitch nearly killed us !**
15. **We've got an iron man, a man with guts.**
16. **Can't we start over ?**

August 1999 : The Earth Men

Août 1999 : les hommes de la Terre

Whoever[1] was knocking at the door didn't want to stop.
Mrs. Ttt threw the door open. "Well ?"

"You speak *English* !" The man standing there was astounded.

"I speak what I speak," she said.

"It's wonderful *English* !" The man was in uniform. There were three men with him, in a great hurry[2], all smiling, all dirty.

"What do you want ?" demanded[3] Mrs. Ttt.

"You are a *Martian*[4] !" The man smiled. "The word is not familiar to you, certainly. It's an Earth expression." He nodded at his men. "We are from Earth. I'm Captain Williams. We've landed on Mars within the hour[5]. Here we are, the Second Expedition ! There was a First Expedition, but we don't know what happened to it. But here we are, anyway. And you are the first Martian we've met[6] ! »

"Martian ?" Her eyebrows went up.

"What I mean to say[7] is, you live on the fourth planet from[8] the sun. Correct ?"

"Elementary," she snapped, eying[9] them.

"And we" — he pressed his chubby pink hand to his chest — "we are from Earth. Right, men ?"

"Right, sir !" A chorus.

"This is the planet Tyrr," she said, "if you want to use the proper name."

"Tyrr, Tyrr." The captain laughed[10] exhaustedly[11]. What a *fine* name ! But, my good woman, how is it you speak such perfect English ?"

"I'm not speaking, I'm thinking," she said. "Telepathy ! Good day !" And she slammed the door.

---

1. **whoever :** *qui que ce soit qui.* Le suffixe ever généralise les pronoms derrière lesquels il est employé. Whatever, *quelque soit ... que ;* whenever, *chaque fois que ;* wherever, *où que ce soit,* etc.
2. **hurry :** *hâte, précipitation.* There's no hurry, *il n'y a rien qui presse.* Implique ici l'animation, l'enthousiasme, l'excitation et non le manque de temps.
3. **to demand :** *demander avec insistance, exiger, réclamer.* Such a job demands a long experience, *un tel poste exige une longue expérience.*
4. **Martian :** [ˈmɑːʃən]. Mars : [mɑːtʃ].

La personne qui frappait à la porte ne voulait vraiment pas s'arrêter.

Mme Ttt ouvrit brutalement : « Qu'est-ce que c'est ?

— Vous parlez *anglais* ! » L'homme qui se tenait sur le seuil n'en revenait pas.

« Je parle ce que je parle, dit-elle.

— C'est de l'excellent anglais ! » L'homme portait un uniforme. Trois compagnons l'entouraient, très excités, tout sourires, très sales.

« Alors, que voulez-vous ? insista Mme Ttt.

— Vous êtes une *Martienne* ! » L'homme souriait. « Le mot ne vous est certainement pas familier. C'est une expression terrienne. » Il désigna ses hommes de la tête. « Nous sommes des Terriens. Je suis le capitaine Williams. Nous venons d'atterrir sur Mars et nous voici, la seconde expédition ! Il y a eu une première expédition, mais nous ne savons pas ce qui lui est arrivé. Mais de toute façon, nous voici. Et vous êtes la première Martienne que nous rencontrons !

« Martienne ? » Elle fronça les sourcils.

« Je veux dire par là que vous vivez sur la quatrième planète du système solaire. C'est exact ?

— Élémentaire, rétorqua-t-elle en les dévisageant.

— Et nous — il appuya sa main rose et grassouillette contre sa poitrine —, nous sommes de la Terre. Correct, vous tous ?

— Correct, capitaine ! firent-ils en chœur.

— Ceci est la planète Tyrr, dit-elle, si vous voulez le vrai nom.

— Tyrr, Tyrr, s'exclama le capitaine en défaillant de rire, quel joli nom ! Mais dites-moi, ma brave dame, comment se fait-il que vous parliez un anglais si parfait ?

— Je ne parle pas, je pense, dit-elle. Télépathie ! Bonjour ! » Et elle claqua la porte.

---

5. **within the hour :** *il y a moins d'une heure, dans l'heure.*
6. **we've met :** ⚠ c'est le présent qu'emploiera le français.
7. **mean to say :** *ce que je veux signifier.* **To mean** + inf. : *avoir l'intention de.* **I meant to call you,** *je voulais vous appeler.*
8. **from :** *à partir de, en partant de.*
9. **to eye :** *toiser, regarder de haut, dévisager.*
10. **laughed :** [la:ft].
11. **exhaustedly :** (ici) *jusqu'à épuisement, à en perdre le souffle ; de* **to exhaust** : 1) *épuiser, éreinter, exténuer ;* 2) *faire le vide* (air, gaz) par aspiration ou expulsion. La forme adverbiale est peu usitée.

A moment later there was that dreadful[1] man knocking again.

She whipped[2] the door open. "What now ?" she wondered.

The man was still there, trying to smile, looking bewildered[3]. He put out his hands. "I don't think you *understand* —"

"What ?" she snapped.

The man gazed at her in suprise. "We're from *Earth* !"

"I haven't time," she said. "I've a lot of cooking today and there's cleaning and sewing[4] and all. You evidently wish to see Mr. Ttt ; he's upstairs in his study."

"Yes," said the Earth Man confusedly[5], blinking. "By all means[6] let us see[7] Mr. Ttt."

"He's busy." She slammed the door again.

This time the knock on the door was most impertinently loud[8].

"See here !" cried the man when the door was thrust open again. He jumped in as if to suprise her. "This is no way[9] to treat visitors !"

"All over my clean floor !" she cried. "Mud ! Get out ! If you come in my house, wash your boots first."

The man looked in dismay at his muddy boots. "This," he said, "is no time for trivialities. I think," he said, "we should be celebrating." He looked at her for a long time, as if looking might make her understand.

"If you've made my crystal buns fall[10] in the oven," she exclaimed, "I'll hit you with a piece of wood !" She peered into a little hot oven. She came back, red, steamy-faced[11]. Her eyes were sharp yellow, her skin was soft brown, she was thin and quick as an insect.

---

1. **dreadful :** *affreux, terrible, redoutable, atroce.* Sert aussi à intensifier des exclamations familières : **what a dreadful weather !** *quel temps de chien !* **you've been a dreadful time !** *tu en as mis un temps !*
2. **to whip :** *fouetter, cingler.* Suivi d'une postposition, suggère la rapidité, la vivacité d'un mouvement. **He whipped out,** *il sortit en coup de vent.*
3. **bewildered :** *troublé, désorienté, interdit, ahuri.*
4. **sewing :** de **to sew, sewed, sewn,** *coudre.*
5. **confusedly :** *avec perplexité, dans l'embarras.* **Confused,** *étonné, perplexe, dérouté* (syn. : **bewildered**).
6. **by all means :** lit. : *« par tous les moyens » ; mais comment donc ! Faites !* Expression utilisée pour renforcer une permis-

La seconde d'après, l'impossible personnage frappait à nouveau.

Elle rouvrit la porte en coup de vent. « Quoi encore ? » demanda-t-elle.

L'homme était toujours là, ébauchant un sourire, l'air décontenancé. Il tendit les mains. « Je ne pense pas que vous compreniez bien...

— Quoi ? » lança-t-elle sèchement.

L'homme la regarda, bouche bée. « Nous sommes de la *Terre* !

— Je n'ai pas le temps, dit-elle. J'ai beaucoup de cuisine aujourd'hui et du ménage et de la couture et tout le reste. Il est évident que c'est M. Ttt que vous voulez voir ; il est là-haut, dans son bureau.

— Oui », fit l'homme de la Terre, interdit. « Je vous en prie, il faut que nous voyions M. Ttt.

— Il est occupé. » Elle claqua la porte à nouveau.

Cette fois-ci, les coups furent cognés sans discrétion.

« Dites donc, cria l'homme quand la porte fut rouverte brutalement — et il se jeta à l'intérieur, comme pour prendre la femme par surprise —, ce n'est pas une façon de traiter les visiteurs !

— Sur mon sol propre ! hurla-t-elle. De la terre ! Sortez d'ici ! Si vous voulez entrer chez moi, nettoyez d'abord vos bottes ! »

L'homme regarda ses bottes boueuses avec consternation.

« Le moment, dit-il, n'est pas à ces vétilles. Je pense que nous devrions fêter l'événement. » Il la fixa des yeux pendant un long moment, comme si cela pouvait l'aider à comprendre.

« Si vous avez fait tomber mes petits pains au cristal dans le four, s'exclama-t-elle, je vous frappe à coups de bâton ! » Elle alla jeter un coup d'œil dans un petit four brûlant, puis revint, le visage rouge et en sueur. Ses yeux étaient d'un jaune vif, sa peau d'un brun doux et elle était aussi mince et vive qu'un insecte.

---

sion ou une demande de permission. Ex. : **May I taste it ? — By all means, do** ! *Puis-je goûter ? — Je vous en prie, faites donc !*

7. **let us see :** let + infinitif sans to sert à former l'impératif. *Ex. :* **Let them speak ; let me do it ; let the man join us.**

8. **most ... loud :** m. à m. : *« particulièrement fort et impoliment ».* Most : superlatif absolu de **much** : *très.*

9. **no way :** (et plus bas, **no time**). **No**, adv., est employé au sens de **not a**, avec insistance accrue. ⚠ La forme : **« it's not way »** serait inacceptable.

10. **fall :** notez que **make** est suivi de l'infinitif sans **to**, dans la tournure *faire faire.*

11. **steamy-faced :** *la figure couverte de buée.* Les adj. composés sur ce modèle (adj. + subst. + **ed**) s'emploient pour caractériser physiquement. Cf. **a blue-eyed, short-skirted girl,** *une fille aux yeux bleus, en minijupe.*

Her voice was metallic and sharp[1]. "Wait here. I'll see if I can let you have a moment with M. Ttt. What was[2] your business[3] ?"

The man swore luridly, as if she'd hit[4] his hand with a hammer. "Tell him we're from Earth and it's never been[5] done before !"

"What hasn't[6] ?" She put her brown hand up. "Never mind. I'll be back[7]."

The sound of her feet fluttered through the stone house.

Outside, the immense blue Martian sky was hot and still as a warm deep sea water. The Martian desert lay broiling[8] like a prehistoric mud pot, waves of heat rising and shimmering. There was a small rocket ship reclining upon a hilltop nearby. Large footprints came from the rocket to the door of this stone house.

Now there was a sound of quarreling voices upstairs. The men within the door stared at one another[9], shifting on their boots, twiddling their fingers, and holding onto their hip belts. A man's voice shouted upstairs. The woman's voice replied. After fifteen minutes the Earth men began walking in and out the kitchen door, with nothing to do.

"Cigarette ?" said one of the men.

Somebody got out a pack[10] and they lit up[11]. They puffed slow streams[12] of pale white smoke. They adjusted their uniforms, fixed their collars. The voices upstairs continued to mutter and chant[13]. The leader of the men looked at his watch.

"Twenty-five minutes," he said. "I wonder what they're up to[14] up there[15]." He went to a window and looked out.

"Hot day," said one of the men.

---

1. **sharp :** adv. : *nettement.* Sharp, adj. : *aigu, pointu, accusé, accentué, net.*
2. **was :** l'emploi du prétérit indique que l'information a déjà été donnée.
3. **business :** *occupation, besogne.* Fam. : Mind your own business, *occupe-toi de tes moutons.*
4. **she'd hit :** she had hit.
5. **it's never been :** ⚠ has (et non is), puisqu'il s'agit d'un present perfect : it has been.
6. **hasn't :** reprise de l'aux. de la phrase précédente. En cas d'aux. composé, il suffit de reprendre le premier. Mort'll be gone by now ! — Who will ?

Sa voix était métallique et coupante.

« Attendez ici, dit-elle. Je vais voir si M. Ttt peut vous recevoir un moment. C'est à quel sujet, déjà ? »

L'homme jura grassement, comme si elle lui avait asséné un coup de marteau sur les doigts. « Dites-lui que nous venons de la Terre et que ça n'a encore jamais été fait !

— Qu'est-ce qui n'a pas encore été fait ? » Elle leva sa main brune. « Peu importe. Je reviens tout de suite. »

Le bruit léger de ses pas s'éloigna dans la maison de pierre.

Dehors, l'immense ciel bleu de Mars était chaud et immobile comme les profondeurs d'une mer tiède. Le désert martien cuisait au soleil, marmite de glaise préhistorique. Des ondes de chaleur s'élevaient en miroitant. Sur le sommet d'un colline, à proximité, une petite fusée était inclinée. De larges empreintes de pas descendaient de la fusée vers la porte de la maison de pierre.

A l'étage, on entendit des voix se quereller. Les hommes, dans l'entrée, se regardèrent, passant d'un pied sur l'autre, se tournant les pouces, les passant dans leur ceinturon. Au premier, une voix d'homme s'emporta. La voix de la femme répliqua. Au bout d'un quart d'heure, les Terriens, n'ayant rien d'autre à faire, se mirent à arpenter le seuil de la cuisine.

« Une cigarette ? » demanda l'un des hommes.

L'un d'eux sortit un paquet et ils se mirent à fumer. Ils tirèrent de longues bouffées de fumée blanche. Ils rajustèrent leurs uniformes, rectifièrent leurs cols. Les voix, au premier, continuaient leur bourdonnement monotone. Le chef d'équipage regarda sa montre.

« Vingt-cinq minutes, dit-il, je me demande bien ce qu'ils fichent là-haut ! » Il alla jeter un coup d'œil par une fenêtre.

« Quelle chaleur ! dit l'un des hommes.

---

7. **I'll be back :** *je reviens dans un instant.*
8. **to broil :** *rôtir à la braise, cuire au barbecue.*
9. **one another :** marque la réciprocité : *les uns les autres.* Employé presque indifféremment aujourd'hui avec **each other.**
10. **a pack :** US ; GB, **a packet.**
11. **lit up :** de **to light (lit, lit) up** : *allumer* (avec une flamme).
12. **stream :** *courant liquide* ou *fluide.* Fig. : **a stream of data,** *une suite de données ;* **a stream of people,** *un flux de personnes.*
13. **to chant :** *psalmodier.*
14. **up to : what's he up to ?** *quel coup prépare-t-il ?* **What's up ?** *qu'est-ce qui se passe ?*
15. **up there :** *là, là-bas.* Pour mieux définir la localisation, l'anglais ajoutera souvent **up, down, out, in,** etc., que le français, moins précis, ne traduira pas.

"Yeah," said someone else in the slow warm time of early afternoon. The voices had faded to a murmur and were now silent. There was not a sound in he house. All[1] the men could hear was their own breathing.

An hour of silence passed. "I hope we didn't cause any trouble," said the captain. He went and peered[2] into the living room.

Mrs. Ttt was there, watering some flowers that grew in the center of the room.

"I knew I had forgotten something," she said when she saw the captain. She walked out to the kitchen. "I'm sorry." She handed him a slip of paper. "Mr Ttt is much too busy." She turned to her cooking[3]. "Anyway, it's not Mr. Ttt you want to see ; it's Mr. Aaa. Take that paper over to the next farm, by the blue canal, and Mr. Aaa'll advise[4] you about whatever it is[5] you want to know."

"We don't want to know anything," objected the captain, pouting out his thick lips. "We already *know* it."

"You have the paper, what more do you want ?" she asked him straight off[6]. And she would say no more.

"Well," said the captain, reluctant[7] to go. He stood as if waiting[8] for something. He looked like[9] a child staring at an empty Christmas tree. "Well," he said again. "Come on, men."

The four men stepped out into the hot silent day.

Half an hour later, Mr. Aaa, seated in his library[10] sipping a bit of electric fire from[11] a metal cup, heard the voices outside in the stone causeway[12].

---

1. **all :** ⚠ pr. relatif : all (that) : *tout ce que.*
2. **went and peered :** après les verbes de mouvement (to turn, to stop, to come), la conj. and exprime le but. He came and told me : *il vint me dire.* To peer : *scruter, dévisager, fouiller du regard.*
3. **she turned to her cooking :** *elle se retourna vers sa cuisson.*
4. **to advise :** *conseiller, informer, aviser.* To give advice, *donner des conseils.* ⚠ Advice est indénombrable. *Un conseil,* a piece of advice.
5. **whatever it is :** *quoi que ce soit.*
6. **straight off :** syn. : straight away, *tout de suite.*
7. **reluctant :** *réticent, qui répugne à, hésitant.*

— Ouais », fit un autre, dans la chaude torpeur de ce début d'après-midi. Les voix s'étaient muées en murmure. Elles se turent. Il n'y eut plus un bruit dans la maison. Les hommes n'entendaient que leur propre respiration.

Une heure s'écoula dans le silence. « J'espère que nous n'avons pas causé d'incident », dit le capitaine. Il alla jeter un coup d'œil dans le salon.

Mme Ttt était là, arrosant des fleurs qui poussaient au centre de la pièce.

« Je savais bien que j'avais oublié quelque chose », dit-elle en voyant le capitaine. Elle alla à la cuisine. « Je suis désolée. » Elle lui tendit un bout de papier.

« M. Ttt est beaucoup trop occupé. » Elle lui tourna le dos. « De toute façon, ce n'est pas M. Ttt que vous voulez voir , c'est M. Aaa. Portez ce mot à la ferme voisine, près du canal bleu, M. Aaa vous renseignera sur tout ce que vous voulez savoir.

— Nous ne voulons rien savoir, objecta le capitaine avec une moue de ses lèvres épaisses. Nous *savons* déjà.

— Vous avez ce billet, que voulez-vous de plus ? » rétorqua-t-elle tout net. Et, visiblement, elle n'en dirait pas plus.

« Bon », dit le capitaine, sans se décider à partir. Il restait planté là, comme s'il attendait quelque chose. On aurait dit un gamin, les yeux ronds devant un arbre de Noël vide. « Bon, fit-il encore. Venez, les gars. »

Les quatre hommes sortirent dans la touffeur somnolente de l'après-midi.

Une demi-heure plus tard, M. Aaa, assis dans sa bibliothèque où il sirotait une rasade de feu électrique dans une coupe de métal, entendit les voix, dans l'allée dallée.

---

8. **as if waiting :** effacement très fréquent du groupe verbal après **as if**. La tournure entière serait normalement au subjonctif (**as if he were**), mais la forme **he was** est très courante.
9. **to look like :** *ressembler à.* Notez que pour exprimer une impression, l'anglais dispose aussi de **to sound, to smell, to feel**, à construction similaire : **it smells like roses,** *cela sent la rose ;* **it sounds like music,** *on dirait de la musique.*
10. **library :** ▲ *bibliothèque. Une librairie,* **a bookshop.**
11. **from :** suggère le mouvement fait pour boire ; syn. : **out of.** Le chat, lui, boit **in the cup.**
12. **causeway :** US, *chaussée pavée,* souvent surélevée.

He leaned over the window sill and gazed at the four uniformed men who squinted[1] up at him.

"Are you Mr. Aaa ?" they called.

"I am[2]."

"Mr. Ttt sent us to see you !" shouted the captain.

"Why did he do that ?" asked Mr. Aaa.

"He was busy !"

"Well, that's a shame," said Mr. Aaa sarcastically. "Does he think I have nothing else to do but[3] entertain people he's too busy to bother with ?"

"That's not the important thing, sir," shouted the captain.

"Well, it is to me. I have much reading to do. Mr. Ttt is inconsiderate. This is not the first time he has been this thoughtless of me. Stop waving your hands, sir, until I finish. And pay attention[4]. People usually listen to me when I talk. And you'll listen courteously or I won't talk at all."

Uneasily the four men in the court shifted and opened their mouths[5], and once the captain, the veins on his face bulging, showed a few little tears[6] in his eyes.

"Now[7]," lectured[8] Mr. Aaa, "do you think it fair[9] of Mr. Ttt to be so ill-mannered[10] ?"

The four men gazed up through the heat. The captain said, "We're from Earth !"

"I think it very ungentlemanly of him," brooded Mr. Aaa.

"A *rocket* ship. We came in it. Over there !"

"Not the first time Ttt's been unreasonable, you know."

"All the way from Earth."

---

1. **to squint :** *loucher, regarder de travers, de biais, les yeux mi-clos.* Suggère souvent une arrière-pensée (méfiance, dédain, envie).
2. **I am :** ⚠ l'anglais répond très rarement par **yes** ou **no**, seuls. Il y ajoute une reprise de l'aux. employé dans la phrase précédente. **Did you see that ? I didn't.** *T'as vu ça ? Non.*
3. **but :** *sauf, si ce n'est, excepté.* Attention à ce sens de **but**. Cf. aussi : **come any day, but tomorrow,** *viens n'importe quel jour sauf demain ;* **the last but one,** *l'avant-dernier ;* **the next day but one,** *le surlendemain.*
4. **pay attention :** *soyez attentifs. Fais attention,* **be careful ;** *attention à la marche,* **mind the step.**

Il se pencha à la fenêtre et vit avec surprise les quatre hommes en uniforme qui le regardaient d'un air méchant.

« Vous êtes M. Aaa ? demandèrent-ils.

— Oui.

— Nous venons de la part de M. Ttt ! cria le capitaine.

— Pourquoi a-t-il fait ça ? demanda M. Aaa.

— Il était occupé.

— Quel toupet, fit M. Aaa, sarcastique. Est-ce qu'il s'imagine que je n'ai rien à faire que de recevoir les gens dont il n'a pas le temps de s'occuper ?

— Ce n'est pas ça qui importe, monsieur, cria le capitaine.

— Pour moi, si. J'ai des tas de choses à lire. M. Ttt manque de politesse. Ce n'est pas la première fois qu'il se montre si cavalier à mon égard. Cessez d'agiter vos mains, monsieur, et laissez-moi finir. Et écoutez-moi. J'ai l'habitude que les gens m'écoutent quand je parle. Et vous allez m'écouter poliment ou je ne dirai rien. »

Dans la cour, les quatre hommes se dandinaient, bouche bée, mal à l'aise. Le capitaine, les veines du visage gonflées, sentit des larmes lui monter aux yeux.

« Enfin, sermonna M. Aaa, pensez-vous que ce soit correct de la part de M. Ttt d'être si mal élevé ? »

Les quatre hommes le fixaient intensément, dans l'air brûlant. « Nous venons de la Terre ! dit le capitaine.

— Je trouve que c'est de très mauvais goût de sa part, continua M. Ttt d'un air sombre.

— Une fusée. Nous sommes venus dedans. Là-bas !

— Ce n'est pas la première fois que Ttt dépasse les bornes, voyez-vous.

— De la Terre. Tout d'une traite.

---

5. **mouths :** après un possessif pluriel, le nom est au pluriel s'il désigne un bien propre à chacun. Si le bien est commun, il est au singulier. **They came in their car** (une seule voiture). **They came in their cars** (chacun la leur).
6. **a few little tears :** *quelques petites larmes.*
7. **now :** idiomatique : *allons !*
8. **to lecture :** 1) *faire un cours ;* 2) *chapitrer, sermonner.*
9. **think it** + adj. + inf. : tournure fréquente avec des v. d'opinion. Cf. **I didn't find it polite to answer,** *je n'ai pas cru poli de répondre.*
10. **ill-mannered :** ill en préfixe est privatif. Cf. **ill-behaved,** *mal élevé ;* **ill-advised,** *mal avisé.*

"Why, for half a mind, I'd call him up and tell him off."

"Just the four of us; myself and these three men, my crew."

"I'll call him up, yes, that's what I'll do !"

"Earth. Rocket. Men. Trip. Space."

"Call him and give him a good lashing !" cried Mr. Aaa. He vanished like a puppet from a stage. For a minute there were angry voices back and forth[1] over[2] some weird mechanism or other. Below, the captain and his crew glanced longingly back at their pretty rocket ship lying on the hillside, so sweet and lovely and fine[3].

Mr. Aaa jerked up in the window, wildly triumphant. "Challenged[4] him to a duel, by the gods ! A duel !"

"Mr. Aaa —" the captain started all over again[5], quietly.

"I'll shoot him dead, do you hear !"

"Mr. Aaa, I'd like to *tell*[6] you. We came sixty million miles[7]."

Mr. Aaa regarded[8] the captain for the first time. "Where'd[9] you say you were from ?"

The captain flashed a white smile[10]. Aside[11] to his men he whispered, "*Now* we're getting someplace[12] !" To Mr. Aaa he called, "We traveled sixty million miles. From Earth !"

Mr. Aaa yawned. "That's only *fifty* million miles this time of year." He picked up a frightful-looking[13] weapon. "Well, I have to go now. Just take that silly note, though I don't know what good it'll do you, and go over that hill into the little town of Iopr and tell Mr. Iii[14] all about it. *He's* the man you want to see. Not Mr. Ttt, he's an idiot; I'm going to kill him. Not me, because you're not in my line of work."

---

1. **back and forth :** *allant et venant.*
2. **over :** par analogie avec le téléphone. On dit **on** ou **over the telephone.**
3. **fine :** 1) *beau, élégant, pur ;* 2) *raffiné, délicat, fin.* Le mot est souvent employé par l'auteur pour clore une énumération élogieuse : *très bien, en somme.* Cf. p. 192 : **warm, hot, yellow and very fine.**
4. **to challenge :** *défier ;* **challenging,** *motivant.*
5. **all over again :** *d'un bout à l'autre* (**over**) et une fois de plus (**again**).
6. **to tell :** 1) *raconter, relater ;* 2) *faire savoir, révéler, informer.*

— Vraiment, pour un peu je l'appellerais pour lui dire son fait.

— Rien que nous quatre ; moi et ces trois hommes, mon équipage.

— Je vais l'appeler, tiens, parfaitement !

— La Terre. Une fusée. Mes hommes. Traversée. Dans l'espace.

— Je vais l'appeler et le remettre à sa place ! » cria M. Ttt. Il s'évanouit comme une marionnette de guignol. Pendant une minute, on entendit des voix furibondes qui sortaient de quelque appareil bizarre. En bas, le capitaine et ses hommes contemplaient ardemment leur joli vaisseau appuyé sur la colline, si plaisant, si beau, si élancé.

M. Aaa apparut soudain à la fenêtre, excité et triomphant. « Je l'ai provoqué en duel, par les dieux, en duel !

— M. Aaa... » Le capitaine reprenait tout au début, posément.

« Je l'étendrai raide, vous entendez !

— M. Aaa, j'aimerais vous expliquer. Nous avons parcouru cent millions de kilomètres. »

Pour la première fois, M. Aaa considéra le capitaine.

« D'où avez-vous dit que vous veniez ? »

Le visage du capitaine s'illumina. « Enfin, on y arrive ! » murmura-t-il en aparté à ses hommes. « Nous venons de cent millions de kilomètres. De la Terre ! »

M. Aaa se mit à bâiller. « Ça ne fait que quatre-vingts millions de kilomètres à cette époque de l'année. » Il se saisit d'une arme d'aspect terrifiant. « Bon, il faut que j'y aille maintenant. Reprenez ce billet stupide, bien que je n'en voie pas l'utilité, et allez jusqu'à la petite ville de Iopr, par-delà cette colline ; vous raconterez tout cela à M. Iii. C'est lui que vous voulez voir. Pas M. Ttt, c'est un imbécile, et je vais le tuer. Pas moi non plus, vous n'entrez pas dans mes attributions.

---

7. **mile :** *mille* terrestre : 1 609 mètres.
8. **to regard :** *regarder avec intérêt, considération.*
9. **where'd :** ellipse de did : langue parlée.
10. **flashed a white smile :** m. à m. : *« arbora un sourire éclatant ».*
11. **aside :** *de côté, à part, à l'écart.*
12. **someplace :** US, somewhere.
13. **frightful-looking :** formation aisée d'adj. composés pour décrire l'aspect de qqch. ou qqn. **A sad-looking girl,** *une fille à l'air triste.*
14. **Mr. Iii :** pron. [aɪaɪaɪ].

"Line of work, line of work !" bleated the captain. "Do you have to be in a certain line of work to welcome Earth men !"

"Don't be silly, everyone knows *that* !" Mr. Aaa rushed downstairs. "Good-by !" And down the causeway he raced, like a pair of wild calipers[1].

The four travelers[2] stood shocked. Finally the captain said, "We'll find someone yet who'll listen to us."

"Maybe we could go out and come in again," said one of the men in a dreary[3] voice. "Maybe we should take off and land again. Give them time to organize a party."

"That might be a good idea," murmured the tired captain.

The little town was full of people drifting[4] in and out of doors, saying hello to one another, wearing golden masks and blue masks and crimson masks for pleasant variety, masks with silver lips and bronze eyebrows[5], masks that smiled or masks that frowned[6], according to the owners' dispositions.

The four men, wet[7] from their long walk, paused and asked a little girl where Mr. Iii's house was[8].

"There." The child nodded[9] her head.

The captain got eagerly[10], carefully down on one knee, looking into her sweet young face. "Little girl, I want to talk to you."

He seated[11] her on his knee and folded[12] her small brown hands neatly[13] in his own big ones, as if ready for a bedtime story which he was shaping in his mind slowly and with a great patient happiness in details.

---

1. **a pair of calipers :** lit. : *« une paire de compas ».* Notez cette même interprétation binaire dans : **a pair of jeans,** *un jean* , **a pair of scales,** *une balance.*
2. **travelers :** dans les mots en el ou al, l'américain n'opère le redoublement que si la dernière syllabe est accentuée. Ex. : com'pel, com'pelling, mais travel, traveler. GB : travellers.
3. **dreary :** *morne, lugubre, triste, morose.*
4. **drifting :** *allant et venant, passant par groupes.*
5. **eyebrows :** cf. eyelids, *paupières,* eyelashes, *cils.*
6. **to frown :** *froncer les sourcils, se rembrunir, se renfrogner.*
7. **wet :** *humide, mouillé.* Syn. : **damp, humid.**
8. **was :** ⚠ pas d'inversion du verbe dans la prop. sub. interrogative.

— Attributions, attributions ! bêla le capitaine. Faut-il avoir des attributions spéciales pour accueillir des Terriens ?

— Ne soyez pas stupide, tout le monde sait ça ! » M. Aaa se précipita dans l'escalier. « Au revoir ! » Et il dévala l'allée à toutes jambes, comme un compas en folie.

Les quatre voyageurs restaient abasourdis. Finalement le capitaine déclara : « Nous allons bien trouver quelqu'un qui nous écoutera.

— On pourrait peut-être partir pour revenir plus tard », proposa l'un des hommes d'une voix morne. « On devrait peut-être décoller et atterrir à nouveau. Leur donner le temps d'organiser une réception.

— C'est peut-être une bonne idée, ma foi », murmura le capitaine avec lassitude.

La petite ville était pleine de gens qui déambulaient, entraient, sortaient, se saluaient. Ils portaient des masques dorés, des masques bleus ou pourpres, pour le simple plaisir des yeux, des masques aux lèvres d'argent et aux sourcils de bronze, des masques rieurs ou renfrognés selon l'humeur de leur propriétaire.

Les quatre hommes, en sueur après leur longue marche, s'arrêtèrent pour demander à une fillette où habitait M. Iii.

« Là-bas », indiqua l'enfant du menton.

Le capitaine, plein d'espoir, mit posément un genou à terre, fixant intensément le doux visage enfantin.

« Petite fille, je veux te dire quelque chose. »

Il l'assit sur son genou et enserra délicatement ses menottes brunes dans sa grosse main, comme s'il allait lui conter une histoire qu'il était en train d'imaginer peu à peu, avec un grand luxe de détails.

---

9. **to nod :** *hocher la tête,* mais aussi *faire un mouvement de tête, du menton, vers l'avant.* Donc (ici) : *indiquer, désigner* (du menton).
10. **eagerly :** *avec avidité, avec enthousiasme.*
11. **to seat :** *asseoir, faire asseoir qqn.* **Get seated :** *asseyez-vous.*
12. **to fold :** *plier, envelopper.* **A folder,** *un dépliant.*
13. **neatly :** ▲ **neat,** adj. 1) *raffiné, délicat, élégant* (mais avec sobriété) ; 2) *propre, soigné, bien rangé.* **Neat cottages,** *des villas coquettes.*

"Well, here's how it is, little girl. Six months ago another rocket came to Mars. There was a man named York in it, and his assistant. Whatever happened to them, we don't know. Maybe they crashed. They came in a rocket. So did we[1]. You should[2] see it ! A *big* rocket ! So we're the *Second* Expedition, following up the First. And we came all the way from Earth..."

The little girl disengaged one hand without thinking about it, and clapped an expressionless golden mask over her face. Then she pulled forth[3] a golden spider toy and dropped it to the ground while the captain talked on. The toy spider climbed back up to her knee obediently, while she speculated upon it coolly[4] through the slits of her emotionless mask and the captain shook her gently[5] and urged his story upon her[6].

"We're Earth Men," he said. "Do you believe me ?"

"Yes." The little girl peeped[7] at the way she was wiggling her toes[8] in the dust.

"Fine." The captain pinched her arm, a little bit with joviality, a little bit[9] with meanness[10] to get her to look[11] at him. "We built our own rocket ship. Do you believe *that* ?"

The little girl dug in her nose with a finger. "Yes."

"And — take your finger out of your nose, little girl — I am the captain, and —"

"Never before in history has anybody[12] come across space in a big rocket ship," recited the little creature, eyes shut.

"Wonderful ! How did you know ?"

"Oh, telepathy." She wiped a casual finger on her knee.

---

1. **so did we :** *nous aussi.* Dans ce type de réponses, on répète l'aux. de la première proposition, avec inversion du sujet. Pour une réponse négative, on emploie neither en tête de locution. He can swim. — So can I ; I can't swim. — Neither can he.
2. **should :** conseil : *il faudrait que tu voies ça !*
3. **forth :** *en avant.*
4. **coolly :** *avec froideur, froidement ; avec calme, sang-froid.* Fam. : keep it cool, *du calme ;* play it cool, *vas-y décontracté.*
5. **gently :** ▲ *doucement.* Gentle, *doux.* A gentle breeze, *un vent léger.*
6. **urged his story upon her :** *« insistait auprès d'elle avec son histoire ».* To urge : *conseiller avec insistance, presser qqn de faire qqch.*

« Voilà l'histoire, petit fille. Il y a six mois, une autre fusée est arrivée sur Mars. Dedans se trouvaient un homme du nom de York et son assistant. Nous ne savons pas ce qui leur est arrivé. Peut-être se sont-ils écrasés. Ils sont venus dans une fusée. Nous aussi. Tu devrais voir ça ! Une fusée grande comme ça ! Ainsi nous sommes la deuxième expédition, envoyée après la première. Et nous sommes venus tout d'une traite de la Terre... »

La petite fille dégagea machinalement l'une de ses mains et posa sur son visage un masque d'or inexpressif. Puis elle exhiba une araignée-jouet dorée et la laissa tomber sur le sol tandis que le capitaine continuait à parler. L'araignée-jouet grimpa docilement sur son genou tandis qu'elle l'observait froidement à travers les fentes de son masque impassible. Le capitaine la secoua doucement pour l'obliger à écouter son histoire.

« Nous sommes des Terriens, dit-il. Tu me crois ?

— Oui. » La petite observait ses orteils qu'elle tortillait dans la poussière.

« Bien. » Le capitaine lui pinça le bras, mi par enjouement, mi par déception, pour l'obliger à le regarder. « Nous avons construit notre fusée nous-mêmes. Est-ce que tu crois ça aussi ? »

La fillette se fourra un doigt dans le nez. « Oui.

— Et — sors ton doigt de ton nez, petite. Moi, je suis le capitaine et...

— Jamais auparavant dans toute l'histoire, on n'avait traversé l'espace dans une grande fusée, récita la jeune créature, les yeux fermés.

— Magnifique ! Comment sais-tu ça ?

— Oh ! la télépathie. » Elle s'essuya négligemment le doigt sur le genou.

---

7. **to peep :** *regarder de manière indiscrète, à la dérobée.* A peeping Tom, *un voyeur.*
8. **toes :** [təʊz]. On tiptoe, *sur la pointe des pieds.*
9. **a little bit :** lit. *« un petit bout, un petit morceau ».* I haven't got a little bit of money, *je n'ai pas d'argent du tout.*
10. **meanness :** *mesquinerie, avarice, petitesse.* Formation courante : adj. + ness (sadness, ugliness...).
11. **to get her to look :** ⚠ get + inf. complet : *faire faire* (avec idée de persuasion : *obliger, amener à*).
12. **has anybody :** inversion normale après une négation en tête de phrase.

"Well, aren't you just ever so[1] excited ?" cried the captain. "Aren't you glad ?"

"You just better go see[2] Mr. Iii right away." She dropped her toy to the ground. "Mr. Iii will like talking to you." She ran off, with the toy spider scuttling obediently after her.

The captain squatted there looking after her with his hand out. His eyes were watery in his head. He looked at his empty hands. His mouth hung open. The other three men stood with their shadows under them. They spat on the stone street...

Mr. Iii answered[3] his door. He was on his way[4] to a lecture, but he had a minute, if they would[5] hurry inside and tell him what they desired...

"A little attention," said the captain, red-eyed and tired. "We're from Earth, we have[6] a rocket, there are four of us, crew and captain, we're exhausted, we're hungry, we'd like a place to sleep. We'd like someone to[7] give us the key to the city or something like that, and we'd like somebody to shake our hands and say 'Hooray' and say 'Congratulations, old man !' That about[8] sums it up."

Mr. Iii was a tall, vaporous, thin man with thick blind blue crystals over his yellowish[9] eyes. He bent over his desk and brooded upon some papers, glancing now and again[10] with extreme penetration at his guests.

"Well, I haven't the forms[11] with me here, I don't *think*." He rummaged through[12] the desk drawers. "Now, where *did* I put the forms ?" He mused. "Somewhere. Somewhere. Oh, *here* we are ! Now !" He handed the papers over crisply. "You'll have to sign these papers, of course."

---

1. **ever so :** intensificateur. It was ever so crowded, *quel monde il y avait !*
2. **you (...) better go see :** US, fam. pour you'd better go and see.
3. **to answer :** ⚠ verbe sans préposition : to answer the phone.
4. **on his way :** 1) *en chemin, en route* ; 2) *sur le point de partir.*
5. **would :** n'exprime pas ici le conditionnel, mais une forme d'injonction polie : *s'ils voulaient se donner le mal d'entrer.*
6. **have :** notez l'emploi américain de have au lieu de have got. US, Do you have children ? GB, Have you got children ? Do you have ?, en anglais britannique, a le sens de do you usually have ?

« Eh bien, ça ne te ravit pas ? cria le capitaine. Tu n'es pas contente ?

— Vous feriez mieux d'aller voir M. Iii tout de suite. » Elle lâcha son jouet. « M. Iii sera ravi de vous parler. » Elle s'échappa, suivie de l'araignée qui filait docilement derrière elle.

Le capitaine, accroupi, la main tendue, la regarda partir. Les larmes aux yeux, bouche bée, il fixait ses mains vides. Les trois autres restaient là à piétiner leur ombre. Ils crachèrent sur le pavé de la rue...

M. Iii leur ouvrit la porte. Il allait donner une conférence mais il pouvait leur accorder une minute, s'ils voulaient bien entrer et lui dire brièvement ce qu'ils désiraient...

« Un peu d'attention, répondit le capitaine, épuisé, les yeux rouges. Nous venons de la Terre, nous avons une fusée, nous sommes quatre, équipage et capitaine, nous sommes exténués, nous avons faim, nous voudrions un endroit pour dormir. Nous aimerions que quelqu'un nous remette les clés de la cité, ou quelque chose d'approchant, et nous aimerions qu'on nous serre les mains, qu'on nous crie "Hourra" et "Félicitations, mon vieux !". En gros, voilà ce que nous désirons. »

M. Iii était un homme grand, mince et vaporeux qui portait d'épaisses lentilles de cristal bleu foncé sur ses yeux jaunes. Il se pencha sur son bureau et consulta longuement quelques papiers, scrutant ses hôtes de temps à autre d'un regard pénétrant.

« Bien, je n'ai pas les formulaires ici, du moins je ne pense pas. » Il fourragea dans les tiroirs de son bureau. « Voyons, où ai-je bien pu les mettre ? » Il prit un air pensif. « Quelque part, quelque part. Ah, les voici ! Bien ! » Il leur tendit les papiers d'un geste brusque. « Bien sûr, vous devrez signer ces papiers.

---

7. **we'd like someone to :** construction infinitive après les verbes marquant un désir ou une attente : **to want, prefer, expect, order...**
8. **about :** placé avant un verbe a le sens de : *en gros, grosso modo.* **That about sums up the matter,** *voilà qui résume en gros la question.*
9. **yellowish :** le suffixe ish est péjoratif.
10. **now and again :** syn. : **from time to time.**
11. **form :** *formulaire, imprimé, bulletin.* **To fill in a form,** *remplir un imprimé.*
12. **through :** *parmi.* **To look through,** *fouiller parmi.*

"Do we have to go through all this rigmarole ?"

Mr. Iii gave him a thick glassy look. "You say you're from Earth, don't you ? Well, then there's nothing for it but you sign[1]."

The captain wrote his name. "Do you want my crew to sign also ?"

Mr. Iii looked at the captain, looked at the three others, and burst into a shout of derision[2]. " *Them* sign[3] ! Ho ! How marvelous[4] ! Them, oh, *them* sign !" Tears sprang[5] from his eyes. He slapped his knee and bent[6] to let his laughter jerk out of his gaping mouth[7]. He held himself up with the desk. "*Them* sign !"

The four men scowled. "What's funny ?"

"Them sign !" sighed Mr. Iii, weak with hilarity. "So very funny. I'll have to tell Mr. Xxx about this !" He examined the filled-out form, still laughing. "Everything seems to be in order." He nodded. "Even the agreement[8] for euthanasia if final decision on such a step is necessary." He chuckled.

"Agreement for *what* ?"

"Don't talk. I have something for you. Here. Take this key."

The captain flushed[9]. "It's a great honor[10]."

"Not the key to the city, you fool !" snapped Mr. Iii. "Just a key to the House. Go down that corridor, unlock the big door, and go inside and shut the door tight. You can spend the night there. In the morning I'll send Mr. Xxx to see you."

Dubiously the captain took the key in hand. He stood looking at the floor. His men dit not move. They seemed to be emptied of all their blood and their rocket fever. They were drained dry.

---

1. **but you sign :** fam. pour : **but to sign** : lit. *« il n'y a rien d'autre à faire pour vous que de signer ».*
2. **a shout of derision :** m. à m. : *« un cri de moquerie ».*
3. **them sign :** expression de l'incrédulité dans une exclamation : inf. sans to précédé de son sujet : **She help you** ! Dans la langue parlée c'est la forme objet du pr. pers. qui est d'usage.
4. **how marvelous :** how exclamatif ou interrogatif est toujours directement suivi de l'adj. ou de l'adv. sur lequel il porte.
5. **sprang :** de to spring : *sauter, jaillir, se détendre.* **A spring,** *un ressort.*
6. **bent :** ⚠ *se courba.* L'anglais ne possède pas de verbes pronominaux : *se laver,* **to wash** ; *se tourner,* **to turn.**

— Faut-il vraiment en passer par toute cette paperasserie ? »

M. Iii lui jeta un lourd regard de myope. « Vous dites bien que vous êtes de la Terre, n'est-ce pas ? Eh bien, il n'y a qu'une chose à faire, c'est signer. »

Le capitaine inscrivit son nom. « Voulez-vous que mes hommes signent aussi ? »

M. Iii regarda le capitaine, puis les trois hommes et éclata de rire. « *Eux*, signer ! Ah, ça, c'est merveilleux ! Eux, ha, ha, *eux*, signer ! » Il en avait les larmes aux yeux. Il se tapa sur la cuisse et se plia en deux, secoué par le fou rire. Il se cramponnait à son bureau. « *Eux*, signer ! »

Les quatre hommes se renfrognèrent. « Qu'est-ce qu'il y a de si drôle ?

— Eux signer ! » fit M. Iii dans un souffle, défaillant d'hilarité. « Vraiment trop drôle. Il faudra que je raconte ça à M. Xxx ! » Il examina le formulaire signé, encore hilare. « Tout semble en ordre. » Il hocha la tête. « Y compris l'accord pour l'euthanasie, s'il faut finalement en venir là. » Il gloussa.

« L'accord pour quoi ?

— Taisez-vous. J'ai quelque chose pour vous. Tenez, prenez cette clé. »

Le capitaine rougit. « C'est un grand honneur.

— Ce n'est pas la clé de la cité, idiot ! rétorqua M. Iii. Juste la clé de la maison. Suivez ce couloir, ouvrez la grande porte, entrez et refermez bien. Vous pouvez passer la nuit là. Demain matin, je vous enverrai M. Xxx. »

Le capitaine prit la clé, méfiant, et resta là à fixer le plancher. Ses hommes ne bougeaient pas. Ils semblaient avoir perdu tout leur sang et leur fièvre interplanétaire. Ils étaient complètement vidés.

---

7. **his gaping mouth :** lit. : *« sa bouche béante ».*
8. **agreement :** *accord, contrat, convention.* **To agree** : 1) *être ou se mettre d'accord ;* 2) *concorder, correspondre.* **I agree with you,** *je suis d'accord avec vous.*
9. **to flush :** 1) (ici) *rougir, s'empourprer* (syn. : **to blush**) ; 2) *jaillir, faire jaillir* (un liquide).
10. **honor :** ⚠ pron. [ˈɒnə]. Le **h** ne se prononce pas dans les mots : **hour** [aʊə*], **honor** et ses dérivés et **hotel** [əuˈtel] (aussi : [həʊˈtel].

"What is it ? What's wrong ?" inquired Mr. Iii. "What are you waiting for ? What do you want ?" He came and peered up into the captain's face, stooping[1]. "Out with it, you !"

"I don't suppose you could even —" suggested the captain. I mean, that is[2], try to, or think about[3]..." He hesitated. "We've worked hard, we've come a long way, and maybe you could just shake our hands and say 'Well done !' do you — think ?" His voice faded.

Mr. Iii stuck out his hand stiffly. "Congratulations !" He smiled a cold smile. "Congratulations." He turned away. "I must go now. Use that key."

Without noticing[4] them again, as if they had melted down through the floor, Mr. Iii moved about the room packing a little manuscript case[5] with papers. He was in the room another five minutes[6] but never again addressed[7] the solemn quartet that stood with heads down, their heavy legs sagging[8], the light dwindling from their eyes[9]. When Mr. Iii went out the door[10] he was busy looking at his fingernails...

They straggled along the corridor in the dull, silent afternoon light. They came to a large burnished silver door, and the silver key opened it. They entered, shut the door, and turned.

They were in a vast sunlit hall. Men and women sat at tables and stood in conversing groups. At the sound of the door they regarded the four uniformed men.

One Martian stepped forward[11], bowing. "I am Mr. Uuu," he said.

---

1. **to stoop :** 1) *(se) baisser, (s') abaisser ;* 2) *s'incliner, condescendre.*
2. **that is :** *c'est-à-dire.*
3. **try to, or think about :** ces deux inf. sans to sont régis par l'aux. could, dans la phrase précédente.
4. **to notice :** 1) *remarquer, observer, faire attention à ;* 2) *mentionner, faire remarquer.* Notice : *avis, avertissement, notification. Notice* (d'emploi), instructions (for use).
5. **case :** pour briefcase, *serviette, porte-documents.*
6. **another five minutes :** l'accord se fait ici selon le sens : c'est la période (de 5 minutes) qui est prise en compte.

« Eh bien, qu'est-ce qui ne va pas ? demanda M. Iii. Qu'attendez-vous ? Que voulez-vous d'autre ? »

Il vint dévisager le capitaine sous le nez. « Ça suffit, maintenant !

— Je suppose que vous ne pourriez même pas... suggéra le capitaine. Je veux dire, enfin... essayer, ou envisager... » Il bafouillait. « Nous avons travaillé dur, nous avons parcouru un long trajet, peut-être pourriez-vous simplement nous serrer la main et dire "Bravo !", vous ne ... croyez pas ? » Sa voix se brisa.

M. Iii tendit la main d'un geste raide. « Félicitations ! » Il arbora un sourire glacial. « Félicitations ! » Il leur tourna le dos. « Je dois partir. Servez-vous de cette clé. »

Sans plus leur accorder la moindre attention, comme s'ils étaient fondus dans le plancher, M. Iii s'affaira dans la pièce, bourrant des documents dans une serviette. Il resta là encore cinq minutes mais n'adressa plus une fois la parole au quatuor solennel qui restait planté, tête basse, les jambes molles, le regard éteint. Quand M. Iii sortit de la pièce, il était absorbé dans la contemplation de ses ongles...

Ils se traînèrent le long du couloir dans la lumière morne de cet après-midi silencieux. Ils arrivèrent à une grande porte d'argent poli qu'ils ouvrirent avec la clé d'argent. Ils entrèrent, refermèrent la porte et se retournèrent.

Ils se trouvaient dans une vaste salle ensoleillée. Des hommes et des femmes conversaient, assis devant des tables ou debout par petits groupes. Au bruit que fit la porte, ils tournèrent les yeux vers les quatre hommes en uniforme.

Un Martien s'avança vers eux et les salua. « Je suis M. Uuu, dit-il.

---

7. **to address :** ⚠ v. transitif : *adresser la parole à qqn, aborder, s'adresser à.*
8. **their heavy legs sagging :** m. à m. : *« leurs lourds uniformes pochant aux jambes».*
9. **the light ... eyes :** m. à m. : *« la lumière diminuant dans leurs yeux ».*
10. **out the door :** notez ici l'emploi américain de **out** au lieu de GB, **out of,** dans le sens de *en dehors, hors de.* Cf. pages 28 et 148.
11. **forward :** *en avant.* Même fonction dans **westward,** *vers l'ouest* ; **homeward,** *en rentrant chez soi* ; **onward,** *plus loin,* etc.

"And I am Captain Jonathan Williams, of New York City, on Earth[1]," said the captain without emphasis.

Immediately the hall exploded !

The rafters trembled with shouts[2] and cries. The people, rushing forward, waved and shrieked[3] happily, knocking down tables, swarming, rollicking, seizing the four Earth Men, lifting them swiftly[4] to their shoulders. They charged about the hall six times[5], six times making a full and wonderful circuit of the room, jumping, bounding, singing.

The Earth Men were so stunned that they rode[6] the toppling shoulders for a full minute before they began to laugh[7] and shout at each other :

"Hey ! This is more *like* it !"

"This is the life ! Boy ! Yay ! Yow ! Whoopee !"

They winked[8] tremendously at each other. They flung up their hands to clap the air[9]. "Hey !"

"Hooray !" said the crowd.

They set[10] the Earth Men on a table. The shouting died.

The captain almost broke into tears. "Thank you. It's good, it's good."

"Tell us about yourselves," suggested Mr. Uuu.

The captain cleared his throat.

The audience ohed and ahed[11] as the captain talked. He introduced[12] his crew ; each made a small speech and was embarrassed by the thunderous applause[13].

Mr. Uuu clapped the captain's shoulder. "It's good to see another man from Earth. I am from Earth also."

"How was that[14] again ?"

"There are many of us[15] here from Earth."

---

1. **earth :** on dit : the earth ou earth (I live on earth) ; mais the moon, the sun. Fam. : What (where), etc., on earth... *que diable, où diable,* etc.
2. **shouts :** cf. to shout : *crier, pousser des cris, des clameurs.* The shouting, *les acclamations.* To shout for help : *appeler à l'aide.*
3. **to shriek :** (ici) *acclamer ;* syn. : to cheer.
4. **swiftly :** *rapidement, vivement.*
5. **times :** ⚠ once, twice, three times (ou thrice), puis 4, 5, 6 times, etc.
6. **rode :** *de* to ride : *chevaucher, aller à califourchon sur qqch.* Stop riding that chair, will you ! *Tu veux arrêter d'enfourcher cette chaise !*

— Et moi le capitaine Jonathan Williams, de New York, sur la Terre », répondit le capitaine sans conviction.

Ce fut une explosion immédiate dans la salle !

Les poutres tremblaient sous les cris et les acclamations. La foule se précipita vers eux, les acclamant en gesticulant, renversant les tables, s'agglutinant en liesse autour d'eux. Ils saisirent les quatre Terriens et les hissèrent prestement sur leurs épaules. Six fois de suite, au pas de charge, ils firent le tour de la pièce, effectuant six fois un circuit complet et triomphal, sautant, chantant et bondissant.

Les Terriens étaient si abasourdis, qu'il leur fallut une bonne minute de cette chevauchée houleuse, avant de se mettre à rire et à s'interpeller :

« Hé, les gars ! Du coup, ça y est !

— Ça, c'est la vie, dites donc ! Ouah ! Ouais ! Youpi ! » Ils se lançaient des clins d'œil euphoriques, levaient les bras en l'air et battaient des mains. « Hip ! Hip !

— Hourra ! » hurla la foule.

Le capitaine faillit fondre en larmes. « Merci, dit-il, ah ! ça fait plaisir, ça fait plaisir !

— Racontez-nous votre histoire », suggéra M. Uuu.

Le capitaine s'éclaircit la gorge et commença son récit.

L'auditoire le ponctua par des « oh » et des « ah ». Il présenta son équipage ; chacun y alla de son petit discours, embarrassé par le tonnerre des applaudissements.

M. Uuu vint donner une tape sur l'épaule du capitaine. « C'est bon de voir un autre Terrien. Moi aussi, je viens de la Terre.

— Pardon ?

— Nous sommes nombreux à venir de la Terre, ici.

---

7. **began to laugh :** to start et to begin peuvent être suivis indifféremment d'un infinitif ou d'un gérondif.
8. **to wink :** *cligner de l'œil, faire un clin d'œil.* ⚠ ≠ de to blink : *cligner des yeux* (par gêne ou éblouissement).
9. **to clap the air :** m. à m. : *« pour frapper l'air ».* The clapping, *les applaudissements.*
10. **to set (set, set) :** *poser, placer, disposer.*
11. **ohed and ahed :** notez la souplesse de l'anglais qui peut faire d'un son un verbe.
12. **to introduce :** *présenter.* May I introduce Sue to you, *je vous présente Sue.*
13. **applause :** nom singulier, *les applaudissements.*
14. **how was that ? :** *que venez-vous de dire ?*
15. **many of us :** *beaucoup d'entre nous.* Tournures identiques : several of them, some of the men, one of us, how many of you...

"You ? From Earth ?" The captain stared. "But is that possible ? Did you come by rocket ? Has space travel been going on[1] for centuries ?" His voice was disappointed. "What — what country are you from[2] ?"

"Tuiereol. I came by the spirit of my body, years ago."

"Tuiereol." The captain mouthed the word. "I don't know that country. What's this about spirit of body ?"

"And Miss Rrr over here, she's from Earth, too, *aren't*[3] *you*, Miss Rrr ?"

Miss Rrr nodded and laughed strangely.

"And so is Mr. Www[4] and Mr. Qqq and Mr. Vvv !"

"I'm from Jupiter," declared one man, preening himself.

"I'm from Saturn," said another, eyes glinting[5] slyly.

"Jupiter, Saturn," murmured the captain, blinking[6].

It was very quiet now ; the people stood around and sat at the tables which were strangely empty for banquet tables. Their yellow eyes were glowing, and there were dark shadows under their cheekbones. The captain noticed for the first time that there were no windows ; the light seemed to permeate the walls. There was only one door. The captain winced[7]. "This is confusing. Where on Earth is this Tuiereol ? Is it near America ?"

"What is America ?"

"You never heard[8] of America ! You say you're from Earth and yet you don't know !"

Mr. Uuu drew himself up angrily. "Earth is a place of seas and nothing but seas. There is no land. I am from Earth, and know."

"Wait a minute." The captain sat back. "You look like a regular[9] Martian. Yellow eyes. Brown skin."

---

1. **has been going on :** ⚠ c'est le p.p. progressif avec for qui est employé en anglais pour rendre le présent avec *depuis*. Ex. : *je vis ici depuis deux ans,* I've been living here for two years.
2. **from :** rappel : à la forme interrogative, les v. à préposition voient leur particule rejetée à la fin de la question. Ex. : what are you waiting for ?
3. **aren't :** [ant], même pron. que **aunt**, *la tante.*
4. **Www :** prononciation [ˈdʌblju:].
5. **to glint :** *briller d'un éclat métallique, étinceler, réverbérer.* A glint, *un éclair, un trait, un reflet de lumière.*

— Vous ? De la Terre ? » Le capitaine ouvrait de grands yeux. « Mais comment est-ce possible ? Vous êtes venus en fusée ? Y a-t-il eu des voyages interplanétaires depuis des siècles ? » La déception se lisait dans sa voix. « De... de quel pays êtes-vous ?

— De Tuiereol. Je suis venu par l'esprit de mon corps, il y a des années.

— Tuiereol. » Le capitaine articula le mot. « Je ne connais pas ce pays-là. Qu'est-ce que vous avez dit, un esprit de corps ?

— Et Mlle Rrr, que voici, vient de la Terre, elle aussi. N'est-ce pas, Mlle Rrr ? »

Mlle Rrr aquiesça et émit un rire bizarre.

« Et aussi M. Www et M. Qqq et M. Vvv !

— Moi, je viens de Jupiter, déclara l'un des hommes en se rengorgeant.

— Et moi de Saturne, lança un autre, un éclat fuyant dans le regard.

— Jupiter, Saturne », murmura le capitaine, perplexe.

La salle était très calme, maintenant ; les assistants se tenaient debout alentour, ou assis devant des tables étrangement vides pour des tables de banquet. Leurs yeux jaunes brillaient et ils avaient des ombres brunes sous les pommettes. Le capitaine remarqua pour la première fois qu'il n'y avait pas de fenêtre ; la lumière semblait sourdre à travers les murs. Il y avait une seule porte. Le capitaine fit une grimace. « Tout ceci n'est pas clair. Où peut donc se trouver ce Tuiereol ? Est-ce proche de l'Amérique ?

— L'Amérique, qu'est-ce que c'est ?

— Vous n'avez jamais entendu parler de l'Amérique ? Vous prétendez venir de la Terre et vous ne savez pas ça !

M. Uuu se dressa, furieux. « La Terre est un pays d'océans et rien d'autre. Il n'y a pas de continent. Je suis de la Terre et je sais.

— Attendez un peu. » Le capitaine se carra sur son siège. « Vous ressemblez à un Martien classique. Les yeux jaunes, la peau brune.

---

6. **blinking :** exprime ici l'ahurissement du capitaine. Il faut noter que l'anglais choisira toujours de décrire l'attitude plutôt que le sentiment, comme le ferait davantage un Français. Ex. : **he stood blinking,** *il restait ahuri.*
7. **to wince :** *faire une grimace de douleur.*
8. **never heard :** l'emploi du p.p. serait plus normal puisque la période de temps représentée par **never** inclut le moment où le locuteur parle. Notez cette tendance à privilégier le prétérit chez les américains.
9. **regular :** adj. : *régulier, dans les règles, habituel.* **Regular,** aussi : *essence* « normale » par opposition à **high-test** *(super).*

"Earth is a place of all *jungle*," said Miss Rrr proudly. "I am from Orri, on Earth, a civilization built of silver !"

Now the captain turned his head from and then to[1] Mr. Uuu and then to Mr. Www and Mr. Zzz[2] and Mr. Nnn and Mr. Hhh and Mr. Bbb. He saw their yellow eyes waxing and waning[3] in the light, focusing[4] and unfocusing. He began to shiver. Finally he turned to his men and regarded them somberly.

"Do you realize what this is ?"

"What, sir[5] ?"

"This is no celebration," replied the captain tiredly. "This is no banquet[6]. These aren't government representatives. This is no surprise party. Look at their eyes. Listen to them !"

Nobody breathed. There was only a soft white move of eyes in the close room.

"Now I understand" — the captain's voice was far away — "why everyone gave us notes and passed us on, one from the other, until we met Mr. Iii, who sent us down a corridor with a key to open a door and shut a door. And here we are..."

"Where are we, sir ?"

The captain exhaled. "In an insane asylum."

It was night. The large hall lay quiet and dimly illumined by hidden light sources in the transparent walls. The four Earth Men sat around[7] a wooden table, their bleak heads bent over their whispers[8]. On the floors, men and women lay huddled. There were little stirs in the dark corners, solitary men or women gesturing their hands.

---

1. **from and then to :** ces deux prépositions expriment à elles seules le mouvement de va-et-vient du regard du capitaine.
2. **Mr. Zzz :** devant un nom propre Mister s'écrira toujours en abrégé. *Madame* : Mrs [mɪsɪʒ]. *Mlle* ne s'abrège pas : Miss. Z (la lettre), pron. : US [ze] ; GB [zed].
3. **to waxe and wane :** *croître et décroître.* To wax, *croître,* s'emploie pour la lune. To wane : *décroître, diminuer, décliner.*
4. **to focus :** *converger, concentrer, se concentrer sur.*
5. **sir :** s'emploie pour s'adresser aux officiers et gradés. Souvent employé familièrement par les Américains (quel que soit l'interlocuteur), comme intensif : Yes sir, *parfaitement !*

— La Terre est couverte par la jungle, dit Mlle Rrr fièrement. Je viens d'Orri, sur la Terre, une civilisation où tout est en argent ! »

Le capitaine examina alternativement M. Uuu, puis M. Www, M. Zzz, M. Nnn, M. Hhh et M. Bbb. Il vit leurs yeux jaunes se dilater et se contracter dans la lumière, leur regard tour à tour net et trouble. Il se mit à frissonner. Finalement il se retourna vers ses hommes et les considéra d'un air lugubre.

« Savez-vous ce que c'est que tout ceci ?

— Quoi donc, capitaine ?

— Ce n'est pas une réception, reprit le capitaine, accablé. Ce n'est pas un banquet. Ces gens ne sont pas les représentants du gouvernement. Ce n'est pas une partie de fête. Regardez leurs yeux. Écoutez-les ! »

Ils retinrent leur respiration. Il n'y avait plus, dans la pièce close, qu'un déplacement silencieux de pupilles blanchâtres.

« Je comprends maintenant — la voix du capitaine était lointaine — pourquoi on nous donnait des mots et nous renvoyait de l'un à l'autre, jusqu'à ce M. Iii qui nous a expédiés au fond du couloir avec une clé pour ouvrir et fermer une porte. Et voilà où nous sommes...

— Où ça, capitaine ?

— Dans un asile d'aliénés », lâcha le capitaine dans un souffle.

Il faisait nuit. La grande salle était calme, vaguement éclairée par des sources lumineuses cachées dans les murs translucides. Les quatre Terriens s'étaient assis autour d'une table de bois et chuchotaient tristement, têtes rapprochées. Des corps étaient étendus par terre, en désordre. Il y avait des mouvements furtifs dans les coins sombres où des hommes et des femmes solitaires agitaient les mains.

---

6. **this is no banquet :** l'emploi de no n'est pas ici l'équivalent de celui de not a. Ex. : she's not a dancer, *elle n'est pas danseuse* et she is no dancer ! *elle n'a rien d'une danseuse !*
7. **around :** aussi : round (the table). En anglais américain, around remplace souvent round. Cf. The church around the corner (round the corner). It turns around its axis (round its axis).
8. **bent ... whispers :** m. à m. : *« penchée sur leurs murmures ».*

Every half-hour[1] one of the captain's men would[2] try the silver door and return to the table. "Nothing doing[3], sir. We're locked in proper[4]."

"They think we're really insane, sir ?"

"Quite[5]. That's why there was no hullabaloo to welcome us. They merely tolerated what, to them, must[6] be a constantly recurring[7] psychotic condition." He gestured at the dark sleeping shapes all about them. "Paranoids, every single one ![8] What a welcome they gave us ! For a moment there" — a little fire rose and died in his eyes — "I thought we were getting our true reception. All the yelling and singing and speeches. Pretty nice, wasn't it — while it lasted ?"

"How long will they keep us here, sir ?"

"Until we prove we're not psychotics."

"That should be easy."

"I *hope* so[9]."

"You don't sound[10] very certain, sir."

"I'm not. Look in that corner."

A man squatted alone[11] in darkness. Out of his mouth issued a blue flame which turned into[12] the round shape of a small naked[13] woman. It flourished on the air softly in vapors of cobalt light, whispering and sighing.

The captain nodded at another corner. A woman stood there, changing[14]. First she was embedded in a crystal pillar, then she melted into a golden statue, finally a staff of polished cedar, and back to a woman.

All through the midnight hall people were juggling thin violet flames, shifting, changing, for nighttime[15] was the time of change and affliction.

---

1. **every half-hour :** cf. every quarter of an hour.
2. **would :** marque la répétition d'une action dans le passé.
3. **nothing doing :** US, pop. pour nothing to do.
4. **proper :** adv., fam. : *proprement, bel et bien.*
5. **quite** [kwait] **:** *tout à fait.* Employé pour approuver : That was a nice day. — Yes, quite (ou quite so).
6. **must :** marque ici la conviction et non l'obligation.
7. **to recur** [rɪ'kɜː*] **:** *se reproduire, se renouveler.*
8. **every single one :** lit. *« chaque individu pris isolément ».*
9. **I hope so :** so reprend affirmativement l'idée exprimée dans la proposition précédente. La réponse négative serait : I hope not. Se construisent ainsi les verbes : to think, to suppose, to believe, to be afraid, etc.

Toutes les demi-heures, l'un des hommes allait essayer d'ouvrir la porte d'argent et revenait à la table : « Toujours rien, capitaine, on est proprement bouclés !

— Ils nous croient vraiment fous, capitaine ?

— Vraiment. C'est pourquoi il n'y a pas eu de tralala pour nous recevoir. Ils ont seulement toléré ce qui doit être chez eux une psychose récurrente classique. » Il désigna d'un geste les formes sombres endormies tout autour d'eux. « Des paranoïaques, tous sans exception ! Quel accueil ils nous ont fait ! Pendant un moment — une petit flamme s'alluma dans ses yeux — j'ai bien cru que nous avions enfin droit à une vraie réception. Tous ces hurlements, ces chants, ces discours. Bien agréable, non... tant que ça a duré ?

— Ils vont nous garder longtemps ici, capitaine ?

— Jusqu'à ce qu'on leur prouve qu'on n'est pas fous.

— Ça devrait être facile.

— Je l'espère.

— Vous n'avez pas l'air convaincu, capitaine.

— C'est vrai. Regardez dans le coin, là. »

Un homme était accroupi dans le noir, solitaire. De sa bouche sortait une flamme bleue qui évoquait peu à peu les courbes douces d'une minuscule femme nue. Elle s'épanouit lentement dans l'air, en légères volutes de cobalt, murmurant et soupirant.

Le capitaine désigna un autre coin du menton. Une femme s'y tenait debout, en pleine transformation. D'abord, elle apparut incrustée dans un pilier de cristal, puis elle se fondit en une statue d'or, puis en colonne de cèdre poli pour finalement redevenir une femme.

Partout dans la salle, des individus produisaient de minces flammes violettes, changeaient, se transformaient, car la nuit est un temps de métamorphoses et d'affliction.

---

10. **to sound :** *avoir l'air* peut se traduire de cinq manières différentes, selon qu'il correspond à l'un ou l'autre des cinq sens (**sound, feel, look, smell, taste**).
11. **alone :** *seul.* Ne pas confondre avec **lonely,** *solitaire.* **Alone** exprime seulement l'absence de compagnie.
12. **into :** marque le passage d'un état à un autre.
13. **naked :** [neɪ'kɪd].
14. **changing :** bien prononcer la diphtongue : **ei**, comme dans **face**.
15. **nighttime :** *la période nocturne.* Même formation : **daytime, holiday time. Lunchtime, bedtime, TV-time,** etc. : *l'heure de...*

"Magicians, sorcerers," whispered one of the Earth Men.

"No, hallucination. They pass their insanity over into us so that we see their hallucinations too. Telepathy. Auto-suggestion and telepathy."

"Is that what worries you[1], sir ?"

"Yes. If hallucinations can appear this 'real'[2] to us, to anyone, if hallucinations are catching[3] and almost believable[4], it's no wonder[5] they mistook us for[6] psychotics. If that man can produce little blue fire women and that woman there melt into a pillar, how natural if normal Martians think we produce our rocket ship with our minds."

"Oh," said his men in the shadows.

Around them, in the vast hall, flames leaped blue, flared[7], evaporated. Little demons of red sand ran between the teeth of sleeping men. Women became oily snakes. There was a smell of reptiles and animals.

In the morning everyone stood around looking fresh, happy, and normal. There were no flames or demons in the room. The captain and his men waited by the silver door, hoping it would open.

Mr. Xxx arrived after[8] about four hours. They had a suspicion that he had waited outside[9] the door, peering in at them for at least[10] three hours before he stepped in[11], beckoned[12], and led them to his small office.

He was a jovial, smiling man, if one could believe[13] the mask he wore, for upon it was painted not one smile, but three. Behind it, his voice was the voice of a not so smiling psychologist[14].

---

1. **what worries you :** what, pr. démonstratif relatif, équivaut à that which, *ce que, ce qui.* Ex. : listen to what he's saying, *écoutez ce qu'il dit.*
2. **this real :** this (ou that), employé comme adverbe, sert d'intensificateur : *à ce point, tellement.*
3. **catching :** *prenant, captivant.* A catching story, *une histoire passionnante.*
4. **believable :** *plausible* ≠ unbelievable.
5. **it's no wonder :** *ce n'est pas surprenant.* To wonder : *se demander, s'étonner, s'émerveiller.* Wonder, *l'émerveillement.*
6. **mistook us for :** to mistake sbd for sth, *prendre qqch. (qqn) pour autre chose.*

« Tous des magiciens, des sorciers, murmura l'un des Terriens.

— Non, hallucination. Ils nous communiquent leur folie si bien que nous participons à leurs hallucinations. Télépathie. Autosuggestion et télépathie.

— C'est ça qui vous tracasse, capitaine ?

— Oui. Si des hallucinations peuvent nous sembler si réelles, à nous et à d'autres, si des hallucinations sont contagieuses et presque dignes de foi, ça ne m'étonne plus qu'ils nous aient pris pour des aliénés. Si cet homme peut faire apparaître des petites femmes bleues et si cette femme peut se muer en pilier, ce n'est pas étonnant si des Martiens normaux croient que notre fusée est une émanation de notre esprit.

— Oh ! » firent les hommes dans l'ombre.

Autour d'eux, dans la vaste salle obscure, des flammes bleues jaillissaient, se dilataient puis s'évaporaient. De petits démons de sable roux couraient entre les dents des hommes endormis. Des femmes se muaient en serpents huileux. Il s'élevait une odeur animale, reptilienne.

Au matin, tous semblaient frais et dispos, heureux, normaux. Il n'y avait plus de flammes ni de démons dans la pièce. Le capitaine et ses hommes attendaient près de la porte d'argent, dans l'espoir qu'elle allait s'ouvrir.

M. Xxx arriva quatre heures plus tard. Ils le soupçonnèrent d'avoir attendu derrière la porte et de les avoir observés pendant au moins trois heures, avant d'entrer et de leur faire signe de le suivre jusqu'à son petit bureau.

C'était un homme jovial et souriant, à en croire le masque qu'il portait, car au lieu d'un sourire, il en était peint trois. Mais la voix qui en sortait était celle d'un psychiatre beaucoup moins souriant.

---

7. **to flare :** *jeter une lumière irrégulière, flamboyer.* **A flare :** *un signal lumineux, une fusée éclairante.*
8. **after :** on dira aussi : **arrived about four hours later. About :** *environ.*
9. **outside :** *à l'extérieur de.* Notez que cette préposition n'est jamais suivie de **of. Outside the garden,** *à l'extérieur du jardin.*
10. **at least :** *au moins.* ⚠ différent de : **at last,** *enfin.*
11. **stepped in :** to step, *faire un pas* (syn. : to take a step), *aller, marcher.* To step in : *entrer* ≠ **to step out.**
12. **to beckon :** *faire signe, appeler du doigt.*
13. **to believe :** *croire, ajouter foi à.* **To believe in God,** *croire en Dieu.* **The believers,** *les croyants.*
14. **a not so smiling psychologist :** en anglais le qualificatif, même s'il est très long, est toujours placé devant le nom : **a too long delayed flight,** *un vol trop longtemps repoussé.*

"What seems to be the trouble[1] ?"

"You think we're insane, and we're not," said the captain.

"Contrarily, I do not think *all* of you are insane." The psychologist pointed a little wand at the captain. "No. Just you, sir. The others are secondary hallucinations."

The captain slapped his knee. "So *that's* it ! That's why Mr. Iii laughed when I suggested my men sign[2] the papers too !"

"Yes, Mr. Iii told me." The psychologist laughed out of the carved, smiling mouth. "A good joke. Where was I ? Secondary hallucinations, yes. Women come to me with snakes crawling from their ears. When I cure[3] them, the snakes vanish[4]."

"We'll be glad to be cured. Go right[5] ahead."

Mr. Xxx seemed surprised. "Unusual. Not many people want to be cured. The cure is drastic[6], you know."

"Cure ahead[7] ! I'm confident[8] you'll find we're all sane."

"Let me check[9] your papers to be sure they're in order for a 'cure'." He checked a file. "Yes. You know, such cases as yours[10] need special 'curing'. The people in that hall are simpler forms. But once you've gone this far, I must point out, with primary, secondary, auditory, olfactory, and labial hallucinations, as well as tactile and optical fantasies, it is pretty[11] bad business. We have to resort to euthanasia."

The captain leaped up with a roar. "Look here, we've stood quite enough ! Test us, tap our knees, check our hearts, exercise us, ask questions !"

---

1. **trouble :** 1) *peine, chagrin, malheur ;* 2) *ennui, difficulté, problème.* No trouble ! *pas de problème !*
2. **I suggested my men sign :** contraction de la prop. sub. : that my men should sign.
3. **to cure :** *guérir ; remédier à, corriger* (d'une mauvaise habitude). Cure : 1) *guérison ;* 2) *remède, cure.* He's past cure, *il est incurable.*
4. **to vanish :** *s'évanouir* (dans le néant) ; cf. to disappear, *disparaître.*
5. **right :** renforce souvent le sens. Cf. right on target, *dans le mille,* right on schedule, *comme prévu.*
6. **drastic :** *radical, énergique, violent ;* to take drastic measures : *prendre des mesures rigoureuses.*

« Quel est votre problème ?

— Vous nous croyez fous et nous ne le sommes pas, dit le capitaine.

— Au contraire, je ne vous crois pas tous fous. » Le psychologue pointa une petite baguettte vers le capitaine. « Non, vous seul, monsieur. Les autres ne sont qu'une hallucination secondaire. »

Le capitaine se frappa la cuisse.

« C'est donc ça ! Voilà pourquoi M. Iii s'est mis à rire quand j'ai proposé que mes hommes signent, eux aussi !

— Oui, M. Iii m'a raconté cela. » Le psychologue riait à travers le sourire de la bouche sculptée. « Elle est excellente. Où en étais-je ? Ah, oui, les hallucinations secondaires. Des femmes viennent me consulter avec des serpents qui leur sortent des oreilles. Quand je les ai guéries, les serpents disparaissent.

— Eh bien, nous serons ravis d'être soignés. Allez-y ! »

M. Xxx parut surpris. « C'est inhabituel. Peu de gens désirent être soignés. Le traitement est très sévère, vous savez.

— Soignez-nous ! Je suis bien sûr que vous nous trouverez parfaitement sains d'esprit.

— Attendez que je vérifie vos papiers pour m'assurer que tout est en ordre pour le "traitement". » Il consulta un dossier. « Bon. Vous comprenez, des cas comme le vôtre demandent un "traitement" spécial. Les gens de cette salle sont des cas plus simples. Mais je dois préciser que quand on en est arrivé à ce point-là, avec hallucinations primaires, secondaires, auditives, olfactives et labiales, plus illusions tactiles et optiques, le cas est grave. Il faut en venir à l'euthanasie. »

Le capitaine bondit en rugissant. « Dites donc, ça a assez duré ! Auscultez-nous, testez nos réflexes, nos cœurs, notre endurance, posez-nous des questions !

---

7. **cure ahead :** fam. : *allez-y de votre traitement !*
8. **to be confident :** ⚠ *avoir confiance que.* **Confidence,** *la confiance. Une confidence,* **a secret.** *Faire confiance à qqn,* **to trust sbd.**
9. **let me check :** l'impératif se forme à l'aide de **let** suivi d'un nom ou d'un pronom personnel et de l'inf. sans **to.** Ex. : **let the man call me tomorrow, let us meet them, let Al join us.**
10. **such cases as yours :** plus littéraire que : **cases such as yours. Such as :** *tel que, comme.*
11. **pretty :** adv. : *assez, pas mal, très.* Un peu plus énergique que ses synonymes : **rather** et **fairly. It's pretty good,** *c'est vraiment pas mal.* **A pretty bad business,** *une sale affaire.*

"You are free to speak."

The captain raved for an hour. The psychologist listened.

"Incredible," he mused. "Most detailed dream fantasy[1] I've ever heard."

"God damn it, we'll show you the rocket ship !" screamed the captain.

"I'd like to see it. Can you manifest it in this room ?"

"Oh, certainly. It's in that file of yours[2], under *R*[3]."

Mr. Xxx peered seriously into his file. He went "Tsk[4]" and shut the file solemnly[5]. "Why did you tell me to look ? The rocket isn't there."

"Of course not, you idiot ! I was joking[6]. Does an insane man joke ?"

"You find some odd senses of humor[7]. Now, take me out to your rocket. I wish to see it."

It was noon[8]. The day was very hot when they reached the rocket.

"So[9]." The psychologist walked up to the ship and tapped it. It gonged softly. "May I go inside ?" he asked slyly.

"You may[10]."

Mr. Xxx stepped in and was gone for a long time.

"Of all the silly, exasperating things." The captain chewed a cigar as he waited. "For two cents I'd go back home and tell people not to bother with Mars. What à suspicious bunch of louts."

"I gather that a good number of their population are[11] insane, sir. That seems to be their main reason for doubting."

"Nevertheless, this is all so damned irritating."

---

1. **fantasy :** *imagination fantastique, idée bizarre, inventions chimériques.*
2. **of yours :** syn. : one of your files. Cf. a friend of mine.
3. **under R :** *à la lettre R.* Ex. : file this under "miscellaneous", *classez-le à la rubrique «divers ».*
4. **tsk :** onomatopée conventionnelle exprimant le reproche.
5. **solemnly :** la formation d'adverbes en -ly à partir d'adjectifs est classique : nervously, poorly, somberly, etc.
6. **to joke :** *plaisanter. Jouer un tour,* to play a trick.
7. **senses of humour :** GB : humour. ⚠ To have a sense of humour, *avoir le sens de l'humour.*

— Vous pouvez parler à votre aise. »

Le capitaine discourut pendant une heure. Le psychiatre écoutait.

« Incroyable, murmura-t-il pensivement. C'est l'imagination onirique la plus fertile que j'aie jamais rencontrée.

— Nom de Dieu, on va vous la montrer, cette fusée ! hurla le capitaine.

— J'aimerais la voir, en effet. Pouvez-vous la matérialiser dans cette pièce ?

— Mais certainement. Elle est dans votre dossier, à la lettre R. »

M. Xxx parcourut gravement son dossier. Puis il le referma d'un air solennel, en faisant claquer sa langue avec mécontentement. « Pourquoi m'avez-vous dit de regarder là-dedans ? La fusée n'y est pas.

— Bien sûr que non, pauvre idiot ! Je plaisantais. Est-ce qu'un fou plaisante ?

— On trouve quelquefois de curieux sens de l'humour. C'est bon, emmenez-moi à votre fusée. J'ai hâte de la voir. »

Il était midi. La chaleur était torride quand ils atteignirent la fusée.

« Je vois. » Le psychiatre s'approcha du vaisseau et le frappa à petits coups. Il résonna doucement. « Puis-je entrer à l'intérieur ? demanda-t-il d'un ton cauteleux.

— Allez-y. »

M. Xxx pénétra dans la fusée et y resta pendant un long moment.

« Qu'est-ce que c'est que toutes ces foutaises ! tonna le capitaine qui attendait en mâchonnant un cigare. Pour un rien, je rentrerais sur terre pour leur dire de ne pas se déranger avec Mars. Quelle bande de clowns suspicieux !

— Si je comprends bien, une grande partie de la population est aliénée, capitaine. C'est ce qui semble expliquer leur méfiance.

— N'empêche ! Ce que ça peut être irritant ! »

---

8. **noon :** syn. : **midday,** *le midi. Il est midi,* **it's twelve o'clock.**
9. **so :** *je vois.* ⚠ *Je vois* (qqch), **I can see** (sth).
10. **you may :** réponse formelle à la demande d'autorisation **May I ?** Réponse négative : **you may not,** *vous n'êtes pas autorisé ;* syn. : **you're not allowed.**
11. **are :** accord pluriel, car **a good number** est pris comme un ensemble d'individus séparés. Avec les noms collectifs (**police, crowd, family,** etc.), le v. sera au sing. quand on considère le groupe comme un tout ; au pluriel quand on considère les différents membres du groupe.

The psychologist emerged from the ship after half an hour of prowling, tapping, listening, smelling, tasting.

"*Now* do you believe !" shouted the captain, as if he were[1] deaf[2].

The psychologist shut his eyes and scratched[3] his nose. "This is the most incredible example of sensual hallucination and hypnotic suggestion I've ever encountered. I went through[4] your 'rocket,' as you call it." He tapped the hull. "I hear it. Auditory fantasy." He drew a breath[5]. "I smell it. Olfactory hallucination, induced by sensual telepathy." He kissed the ship. "I taste it. Labial fantasy !"

He shook the captain's hand. "May I congratulate you ? You are a psychotic genius ! You have done a most complete job ! The task of projecting your psychotic image life into the mind of another via telepathy and keeping the hallucinations from[6] becoming sensually weaker is almost impossible[7]. Those people in the House usually concentrate on visuals or, at the most, visuals and auditory fantasies combined. You have balanced the whole conglomeration ! Your insanity is beautifully complete !"

"My insanity." The captain was pale.

"Yes, yes, what a lovely insanity. Metal, rubber, gravitizers, foods, clothing[8], fuel[9], weapons, ladders, nuts, bolts, spoons. Ten thousand separate items I checked on your vessel. Never have I seen such a[10] complexity. There were even shadows under the bunks and under *everything* ! Such concentration of will ! And everything, no matter how[11] or when tested, had a smell, a solidity, a taste[12], a sound ! Let me embrace you !"

---

1. **were :** forme du subjonctif. Construction normale après as if et as though.
2. **deaf :** *sourd. Muet :* dumb. Deafening, *assourdissant.*
3. **scratch :** bien prononcer le t [skrætʃ]. A scratch, *une rayure.* ⚠ *un accident :* a crash [kræʃ].
4. **I went through :** (ici) *j'ai fait le tour.*
5. **he drew a breath :** to draw a breath, *pousser un soupir.* He took a breath, *il prit sa respiration.*
6. **to keep from + -ing :** empêcher de faire qqch. Même construction pour les verbes : to prevent, to stop, to hinder, qui ont des sens rapprochés.
7. **almost impossible :** on dira aussi : nearly impossible.

Après une demi-heure passée à fouiner, tapoter, écouter, sentir, goûter, le psychiatre émergea de la fusée.

« Et *maintenant,* hurla le capitaine comme si l'autre était sourd, vous nous croyez ? ! »

Le psychiatre ferma les yeux et se gratta le nez.

« C'est le cas le plus incroyable d'hallucination sensorielle et de suggestion hypnotique que j'aie jamais rencontré. J'ai parcouru votre "fusée", comme vous l'appelez. » Il frappa la coque. « Je l'entends. Illusion auditive. » Il inspira. « Je la sens. Hallucination olfactive, communiquée par télépathie sensorielle. » Il embrassa la fusée. « Je la goûte. Illusion labiale ! »

Il serra la main du capitaine. « Me permettez-vous de vous féliciter ? Vous êtes un psychopathe de génie ! Vous avez réalisé un travail absolument complet ! Projeter par télépathie dans l'esprit d'un autre, et sans les affaiblir, les hallucinations sensorielles créées par votre propre névrose est pratiquement impossible. Les gens que vous avez vus dans cette maison se concentrent d'ordinaire sur des illusions d'optique, ou au mieux, à la fois optiques et auditives. Vous avez réussi à faire mieux ! Votre démence est absolument parfaite !

— Ma démence ? » Le capitaine était livide.

« Oui, oui, quelle merveilleuse démence ; métal, caoutchouc, gravité, vivres, habillement, combustible, armes, échelles, écrous, boulons, cuillers. J'ai répertorié dix mille articles différents, dans votre vaisseau. Jamais je n'ai vu une telle complexité. Il y avait même des *ombres* sous les couchettes, sous *chaque* chose ! Quel pouvoir de concentration ! Et chaque objet, de quelque manière qu'on le teste, ayant une odeur, une densité, un goût, une résonance ! Laissez-moi vous embrasser ! »

---

8. **clothing :** nom collectif : *les habits, les vêtements, l'habillement.*
9. **fuel :** *le combustible, le carburant.* **Fuel-oil,** *le mazout.* **To fuel up,** *se ravitailler* (en essence, etc.).
10. **such a : such** (comme **what**), exclamatif, porte sur un groupe nominal, d'où l'emploi de l'art. **a : such (what) a day !** Si le subst. est abstrait, ou s'il est au pluriel, il n'y a pas d'art. : **such luck !**
11. **no matter how : no matter how you look at it,** *de quelque façon qu'on (quelle que soit la manière dont on) l'envisage.*
12. **taste :** *le goût.* **To taste,** *goûter.* **Tasty,** *savoureux.* **Tasteful,** *de bon goût.*

He stood back at last. "I'll write this into my greatest[1] monograph ! I'll speak of it at the Martian Academy next month ! *Look* at you ! Why, you've even changed your eye color from yellow to blue, your skin to pink from brown. And those clothes[2], and your hands having five fingers instead of six ! Biological metamorphosis through psychological[3] imbalance ! And your three friends —"

He took out a little gun. "Incurable, of course. You poor[4], wonderful man. You will be happier dead. Have you[5] any last words ?"

"Stop, for God's sake ! Don't shoot !"

"You sad creature. I shall put you out of this misery which has driven you to imagine this rocket and these three men. It will be most engrossing[6] to watch your friends and your rocket vanish once[7] I have killed you. I will write a neat paper on the dissolvement of neurotic images from what I perceive here today."

"I'm from Earth ! My name is Jonathan Williams, and these —"

"Yes I know," soothed[8] Mr. Xxx, and fired his gun.

The captain fell with a bullet in his heart. The other three men screamed.

Mr. Xxx stared at them. "You continue to exist ? This is superb ! Hallucinations with time and spatial persistence !" He pointed the gun at them. "Well, I'll scare you into dissolving[9]."

"No !" cried the three men.

"An auditory appeal[10], even with the patient dead," observed Mr. Xxx as he shot the three men down.

They lay on the sand, intact, not moving.

---

1. **greatest :** ⚠ superlatif absolu. Ne pas confondre avec le superlatif relatif : the greatest in (of).
2. **clothes :** pron. [kləʊðz]. ⚠ Le e entre th et s ne se prononce pas.
3. **psychological :** ⚠ pron. Les mots en psy se prononcent tous [saɪ]. Ex. : psychotic [saɪ'kɒtɪk], psychology, [saɪ'kɒledʒɪ], psychic ['saɪkɪk], etc.
4. **you poor :** le français dira *mon pauvre...*
5. **have you :** américanisme. On dira soit : do you have, soit : have you got.

Il se recula enfin. « Je consignerai tout cela dans ma grande monographie. J'en parlerai à l'Académie martienne, le mois prochain ! Mais regardez-vous ! Bon sang, vous avez même changé la couleur de vos yeux, bleu au lieu de jaune, celle de votre peau, rose au lieu de brun. Et ces habits, et vos mains à cinq doigts au lieu de six ! Métamorphose biologique engendrée par un déséquilibre psychologique ! Et vos trois amis... »

Il sortit un petit revolver. « Incurable, évidemment. Pauvre, admirable garçon. Vous serez plus heureux mort. Avez-vous une dernière volonté ?

— Arrêtez, pour l'amour de Dieu ! Ne tirez pas !

— Pauvre créature. Je vais te délivrer de ce calvaire qui t'a poussé à imaginer cette fusée et ces trois hommes. Ce sera bien prenant de voir tes amis et ta fusée se volatiliser quand je t'aurai tué. J'écrirai un rapport précis sur la dissolution des images neurotiques d'après ce que j'ai saisi aujourd'hui.

— Je viens de la Terre ! Mon nom est Jonathan Williams et ceux-ci...

— Oui, je sais », dit M. Xxx avec douceur, et il fit feu.

Le capitaine s'écroula, une balle dans le cœur. Les trois autres se mirent à hurler.

M. Xxx les dévisagea. « Vous continuez à exister ? C'est admirable ! Persistance de l'hallucination dans le temps et dans l'espace ! » Il braqua son revolver sur eux. « C'est bon, la peur va vous faire disparaître.

— Non, hurlèrent les trois hommes.

— Requête auditive en dépit de la mort du sujet ! » observa M. Xxx en abattant les trois hommes.

Ils gisaient sur le sable, intacts, immobiles.

---

6. **engrossing :** *captivant, prenant.*
7. **once :** *une fois que.*
8. **to soothe** [suːð] **:** *calmer, apaiser, tranquilliser.* **A soothing voice,** *une voix apaisante.*
9. **scare ... dissolving :** m. à m. : *« vous pousser à vous dissoudre par la peur ».* Cf. **he talked her into selling her boat,** *il la convainquit* (par la parole) *de vendre son bateau.*
10. **appeal :** 1) *appel, recours ;* 2) *attrait, attirance, séduction.* **Court of Appeal,** *cour d'appel ;* **sex appeal,** *charme sensuel.*

He kicked them. Then he rapped on the ship.

"*It* persists ! *They* persist !" He fired his gun again and again at the bodies. Then he stood back. The smiling mask dropped from his face.

Slowly the little psychologist's face[1] changed. His jaw sagged[2]. The gun dropped from his fingers. His eyes were dull and vacant[3]. He put his hands up and turned in a blind circle. He fumbled[4] at the bodies, saliva filling his mouth.

"Hallucinations," he mumbled frantically. "Taste. Sight. Smell. Sound. Feeling." He waved his hands. His eyes bulged. His mouth began to give off a faint froth[5].

"Go away !" he shouted at[6] the bodies. "Go away !" he screamed at the ship. He examined his trembling hands. "Contaminated," he whispered wildly[7]. "Carried over into me. Telepathy. Hypnosis. Now *I'm* insane. Now *I'm* contaminated. Hallucinations in all their sensual forms." He stopped and searched around with his numb hands for[8] the gun. "Only one cure. Only one way to make them go away, vanish."

A shot rang out. Mr. Xxx fell.

The four bodies lay in the sun. Mr. Xxx lay where he fell[9].

The rocket reclined[10] on the little sunny hill and didn't vanish.

When the town people found the rocket at sunset they wondered[11] what it was. Nobody knew, so it was sold to a junkman[12] and hauled[13] off to be broken up for scrap metal.

That night it rained all night. The next day was fair[14] and warm.

---

1. **the little psychologist's face :** et non « the psychologist's little face ».
2. **to sag :** *fléchir, baisser, s'affaisser, ployer, s'avachir.* A sagging economy, *un marasme économique.*
3. **vacant :** *vide, vacant, libre.* Vacant space, *place libre ;* vacant room, *chambre disponible.*
4. **to fumble :** *fouiller, tâtonner, chercher à tâtons.*
5. **his mouth ... froth :** m. à m. : *« sa bouche commença à produire une légère mousse ».* Froth : *mousse, écume.* To froth, *faire mousser.*
6. **shouted at :** notez la préposition employée.
7. **wildly :** *frénétiquement.*
8. **for** = une recherche, le désir de trouver. Cf. to look for.

Il les poussa du pied. Puis il frappa la fusée de l'index.

« Elle persiste ! *Ils* persistent ! » Il déchargea son arme sur les cadavres. Puis il se recula. Le masque souriant tomba de son visage.

Lentement, l'expression du petit psychiatre s'altéra. Sa mâchoire s'affaissa. Le revolver lui glissa des doigts. Son regard se fit morne et vide. Il leva les mains et tournoya sur lui-même comme un aveugle. Il se mit à tâter les corps, de la bave au coin de la bouche. « Hallucinations », marmonna-t-il, frénétique. « Le goût, la vue, l'odorat, le son, le toucher. » Il gesticulait, les yeux exorbités, une légère écume, déjà, aux coins des lèvres.

« Allez-vous-en ! » cria-t-il aux cadavres. « Allez-vous-en ! » hurla-t-il à la fusée. Il examina ses mains tremblantes. « Contaminé, murmura-t-il, affolé. Transfert par télépathie, par hypnose. Maintenant, c'est moi qui suis fou. Moi qui suis contaminé. Hallucinations sous toutes les formes sensorielles. » Il s'arrêta et chercha son arme à tâtons, de ses doigts engourdis. « Un seul remède. Un seul moyen de les faire partir : disparaître. »

Un coup de feu retentit. M. Xxx s'affaissa.

Les quatre corps gisaient au soleil et celui de M. Xxx à l'endroit même où il était tombé.

La fusée était toujours couchée sur la petite colline ensoleillée. Elle ne disparaissait pas.

Quand les habitants de la ville la découvrirent, à la nuit tombante, ils se demandèrent ce que c'était. Personne ne savait, aussi fut-elle vendue à la ferraille, remorquée et disloquée comme métal de récupération.

Cette nuit-là, il plut sans discontinuer. Le lendemain, il faisait beau et chaud.

---

9. **fell :** prétérit. L'anglais emploie souvent le prétérit de préférence au plus-que-parfait dans la subordonnée. Cf. **she had known her husband when she came to London,** *elle avait connu son mari quand elle était venue à Londres.*
10. **to recline :** *être étendu, couché, appuyé.* **A reclining seat,** *un siège à dossier inclinable.*
11. **to wonder :** *se demander, vouloir savoir ; s'étonner, s'émerveiller.* **Wonder,** *étonnement, ébahissement.*
12. **junkman :** *éboueur.* **Junk,** *camelote.* **Junkfood,** *nourriture en série, de mauvaise qualité.*
13. **to haul :** 1) *tirer, traîner, remorquer ;* 2) *transporter des marchandises.*
14. **fair :** *beau, juste.* **Fair weather,** *beau temps.* **Fair play,** *selon les règles.* **Fair-haired,** *blond.*

Révisions

Vous avez rencontré dans la nouvelle que vous venez de lire l'équivalent des expressions françaises suivantes.

Vous en souvenez-vous ?

1. Mme Ttt ouvrit la porte d'un coup.
2. Comment se fait-il que vous parliez un anglais si parfait ?
3. Elle claqua la porte à nouveau.
4. En voilà une façon de traiter les visiteurs !
5. Le moment n'est pas à ces vétilles.
6. C'est à quel sujet déjà ?
7. Je me demande ce qu'ils peuvent bien fiche.
8. Je vais l'appeler et lui dire son fait !
9. Je l'ai provoqué en duel. Je vais l'étendre raide !
10. Ce serait peut-être une bonne idée.
11. Ce qui a bien pu leur arriver, nous n'en savons rien.
12. Il leur tendit le formulaire rempli.
13. Ils étaient complètement vidés.
14. Le capitaine présenta son équipage.
15. Il vit leurs yeux jaunes se dilater et se rétrécir.
16. Nous sommes bel et bien bouclés.
17. Quand on en est arrivé à ce point, c'est une sale affaire.
18. Je vous forcerai à disparaître par la peur.

1. **Mrs Ttt threw the door open.**
2. **How is it you speak such perfect English ?**
3. **She slammed the door again.**
4. **This is no way to treat visitors !**
5. **This is no time for trivialities.**
6. **What was your business ?**
7. **I wonder what they're up to.**
8. **I'll call him and tell him off !**
9. **I challenged him to a duel. I'll shoot him dead !**
10. **That might be a good idea.**
11. **Whatever happened to them, we don't know.**
12. **He handed them the filled-out form.**
13. **They were drained dry.**
14. **The captain introduced his crew.**
15. **He saw their yellow eyes waxing and waning.**
16. **We're locked in proper !**
17. **Once you've gone this far, it is pretty bad business.**
18. **I'll scare you into dissolving !**

December 2005[1] : The Silent Towns

Décembre 2005 : les villes muettes

There was a little white silent town on the edge[2] of the dead Martian sea. The town was empty. No one moved in it[3]. Lonely lights burned in the stores all day. The shop doors were wide[4], as if people had run off without using their keys. Magazines, brought from Earth on the silver rocket a month before, fluttered, untouched, burning brown, on wire racks fronting the silent drugstores[5].

The town was dead. Its beds were empty and cold. The only sound was the power hum of electric lines and dynamos, still alive, all by themselves[6]. Water ran in forgotten bathtubs[7], poured out[8] into living rooms, onto porches, and down through little garden plots to feed neglected flowers. In the dark theaters, gum under the many seats began to harden with tooth impressions still in it.

Across[9] town was a rocket port. You could still smell the hard, scorched smell where the last rocket blasted off[10] when it went back to Earth. If you dropped a dime in the telescope and pointed it at Earth, perhaps you could see the big war happening there. Perhaps you could see New York explode. Maybe London could be seen, covered with a new kind of fog. Perhaps then it might be understood why this small Martian town is abandoned. How quick was the evacuation ? Walk[11] in any store, bang the No Sale key[12]. Cash drawers jump out, all bright and jingly[13] with coins. That war on Earth must be very bad...

Along the empty avenues of this town, now[14], whistling softly, kicking a tin can[15] ahead of him in deepest concentration, came a tall, thin man.

---

1. **2005 :** se lit : twenty hundred and five.
2. **edge :** 1) *le bord, la limite, l'orée ;* 2) *le bord, l'arête, le tranchant.* Cf. the edge of a knife, *le tranchant de la lame.*
3. **No one moved in it :** m. à m. : *« personne ne s'y déplaçait ».*
4. **wide :** US, employé pour : wide open, *grand ouvert.*
5. **drugstore :** US, magasin où l'on vend à la fois de la papeterie, du tabac, des journaux, des bonbons et des produits pharmaceutiques d'usage courant.
6. **all by themselves :** *tout seuls.* L'expression se conjugue : I did it by myself, *je l'ai fait seul.*
7. **bathtub :** *baignoire.* Tub, *baquet, bac, cuve.*
8. **to pour out :** *(se) répandre, (se) déverser, couler à flots.*

Au bord de la mer morte de Mars, il y avait une petite ville blanche silencieuse. Elle était déserte. On n'y voyait âme qui vive. Des lumières solitaires brûlaient toute la journée dans les magasins. Les portes des boutiques béaient, comme si les gens s'étaient enfuis sans prendre le temps de les fermer à clé. Des revues, apportées de la Terre le mois précédent par la fusée argentée, agitaient leurs pages inutiles et jaunissantes, sur des présentoirs métalliques devant les drugstores silencieux.

La ville était morte. Les lits étaient vides et froids. On n'entendait que le bourdonnement des lignes électriques et des générateurs qui continuaient à fonctionner tout seuls. L'eau de bains oubliés débordait des baignoires, inondait les salons, courait sous les vérandas et allait arroser des plantes négligées dans les parterres des jardins. Dans les salles de cinémas obscures, des chewing-gums, encore marqués d'empreintes de dents, commençaient à durcir sous les sièges.

A l'autre bout de la ville se trouvait l'astroport. On sentait encore l'âcre odeur de brûlé produite par la dernière fusée qui avait décollé pour retourner sur Terre. En mettant une pièce dans le télescope et en le pointant vers la Terre, on aurait peut-être pu voir la grande guerre qui y faisait rage. Peut-être aurait-on vu New York exploser. Ou Londres, couverte d'un brouillard d'un genre nouveau. Peut-être, alors, aurait-on pu comprendre pourquoi cette petite ville martienne était abandonnée. L'évacuation avait-elle été rapide ? Il suffisait d'entrer dans n'importe quel magasin et de déclencher les tiroirs-caisses. Ils jaillissaient dans un tintement de pièces étincelantes. Cette guerre sur la Terre devait être terrible.

Or voici que dans les avenues désertes de la ville, un individu avançait en sifflotant. C'était un grand type maigre qui s'appliquait à faire rouler à coups de pied une boîte de conserve devant lui.

---

9. **across :** *de l'autre côté, à l'autre bout.* He lives across the river, *il habite de l'autre côté du fleuve.*
10. **where ... off :** m. à m. : *« là où la dernière fusée avait décollé ».* To blast off, *décoller* (fusée, missile).
11. **walk :** impératif de to walk. To walk in, *entrer.*
12. **no sale key :** *clé* non sonore du tiroir-caisse (cash drawer), utilisée le soir pour les comptes.
13. **bright and jingly with coins :** *brillants et tintants de pièces de monnaie.* A coin, *une pièce.*
14. ⚠ **now** introduit ici l'action, après la description : *or.*
15. **a can :** US, *une boîte de conserve.* GB, a tin. Tin, *en fer-blanc.*

His eyes glowed with a dark, quiet look of loneliness[1]. He moved his bony hands in his pockets, which were tinkling with new dimes[2]. Occasionally he tossed[3] a dime to the ground. He laughed temperately, doing this, and walked on sprinkling[4] bright dimes everywhere.

His name was Walter Gripp. He had a placer mine and a remote[5] shack far up in the blue Martian hills and he walked to town once every two weeks[6] to see if he could marry[7] a quiet and intelligent woman. Over the years he had always returned to his shack, alone and disappointed. A week ago, arriving in town, he had found it this way !

That day he had been so surprised that he rushed to a delicatessen[8], flung wide a case, and ordered a triple-decker[9] beef sandwich.

"Coming up !" he cried, a towel on his arm.

He flourished[10] meats and bread baked the day before, dusted a table, invited himself to sit, and ate until he had to go find[11] a soda fountain[12], where he ordered a bicarbonate. The druggist, being one Walter Gripp, was astoundingly polite and fizzed[13] one right up for him !

He stuffed his jeans with money, all he could find. He loaded a boy's wagon with ten-dollar bills and ran lickety-split through town. Reaching the suburbs, he suddenly realized how shamefully[14] silly he was. He didn't need money. He rode the ten-dollar bills[15] back to where he'd found them, counted a dollar from his own wallet to pay for[16] the sandwiches, dropped it in the delicatessen till[17], and added a quarter[18] tip[19].

---

1. **look of loneliness :** lit. : *« regard de solitude ».*
2. **tinkling with new dimes :** m. à m. : *« tintaient de pièces neuves ».* A dime, *une pièce de 10 cents.*
3. **to toss :** *lancer, jeter en l'air* (d'un coup vif). To toss a coin, *faire pile ou face.*
4. **to sprinkle :** *asperger, saupoudrer.*
5. **remote :** *éloigné, isolé, perdu.*
6. **every two weeks :** lit. : *« toutes les deux semaines ».*
7. **to marry sbd :** *épouser qqn.* To marry, *se marier.*
8. **delicatessen :** US, endroit spécialisé dans la vente de sandwichs très complets et de charcuterie. On y trouve aussi des boissons gazeuses non alcoolisées.
9. **triple-decker :** *à trois niveaux.* Deck, *pont, étage.*
10. **to flourish :** *faire un grand geste théâtral.*

Dans son regard, sombre et tranquille, brillait un éclat solitaire. Il secouait ses mains osseuses dans ses poches et y faisait sonner des pièces toutes neuves. De temps en temps, il en jetait une par terre. Cela le faisait rire doucement et tout en marchant, il semait les pièces brillantes de tous côtés.

Il s'appelait Walter Gripp et possédait un gisement minier et une baraque perdue au plus haut des collines bleues de Mars. Il descendait à la ville tous les quinze jours pour essayer de se trouver une épouse, intelligente et paisible. Au fil des ans, il était toujours revenu à sa baraque seul et déçu. Mais la semaine précédente, en arrivant en ville, il avait trouvé les choses dans cet état.

Ce jour-là, sa surprise avait été telle qu'il s'était précipité dans un snack, avait arraché le couvercle d'une caisse et s'était commandé un triple sandwich au rôti de bœuf.

« Ça marche ! » lança-t-il, une serviette sur le bras.

D'un geste large, il apporta des tranches de rôti et du pain cuits la veille, essuya une table et s'invita lui-même à s'asseoir ; puis il se goinfra tellement qu'il éprouva vite le besoin de trouver une buvette pour y commander un bicarbonate. Le serveur, un certain Walter Gripp, fut étonnamment poli et lui en servit tout de suite un pétillant !

Il bourra les poches de son jean d'autant d'argent qu'il put en trouver, remplit un chariot de gosse de billets de dix dollars et partit à fond de train à travers la ville. En atteignant les faubourgs, il réalisa soudain avec confusion combien il était stupide. Il n'avait pas besoin d'argent. Il ramena les billets de dix dollars là où il les avait pris, sortit un dollar de son portefeuille pour les sandwichs et le déposa dans la caisse du snack, avec un quarter pour le service.

---

11. **ate ... find :** m. à m. : *« mangea jusqu'à ce qu'il dût aller chercher... »* Go find : US pour **go and find.**
12. **soda fountain :** US, sorte de buvette où l'on trouve des boissons gazeuses, y compris des **"selzer-drinks"**, à base de bicarbonate de soude.
13. **to fizz :** *faire des bulles, pétiller.*
14. **shamefully :** *d'une manière indigne, honteusement.*
15. **bill :** US, *billets,* GB, **banknotes. Ten-dollar bills** : notez l'absence d's à dollar qui est adjectivé, donc invariable.
16. **to pay for :** notez l'emploi de cette prép. : *payer qqch.*
17. **till :** *tiroir-caisse. La caisse,* **cash-desk** ; aussi, **check-out counter** (supermarchés).
18. **a quarter :** quart du dollar : *25 cents.*
19. **tip :** *pourboire, service.* **Tip included,** *service compris.*

That night he enjoyed a hot Turkish bath, a succulent filet carpeted with delicate[1] mushrooms, imported dry sherry, and strawberries in wine. He fitted himself for[2] a new blue flannel suit[3], and a rich gray Homburg which balanced oddly atop[4] his gaunt head. He slid money into a juke box which played "That Old Gang of Mine." He dropped nickels[5] in twenty boxes all over town. The lonely streets and the night were full of the sad music of "That Old Gang of Mine" as he walked, tall and thin and alone, his new shoes clumping softly, his cold hands in his pockets.

But that was a week past. He slept in a good house on Mars Avenue, rose mornings[6] at nine, bathed, and idled to town[7] for ham and eggs. No morning passed that he didn't freeze a ton of meats, vegetables, and lemon cream pies, enough to last ten years, until the rockets came back from Earth, if they ever came.

Now, tonight[8], he drifted up and down[9], seeing the wax women in every colorful shop window, pink and beautiful. For the first time he knew how dead the town was. He drew a glass of beer and sobbed gently.

"Why," he said, "I'm all *alone.*"

He entered the Elite Theater[10] to show himself a film, to distract[11] his mind from his isolation. The theater was hollow[12], empty, like a tomb with phantoms crawling gray and black on the vast screen. Shivering, he hurried from the[13] haunted place.

Having decided to return home, he was striking down[14] the middle of a side street, almost running, when he heard the phone.

---

1. **delicate :** ▲ *fin, fragile, rare.*
2. **he fitted himself for :** m. à m. : *« il ajusta sur lui ».* To fit sth for sbd, *ajuster, essayer qqch. à qqn, mettre aux mesures.*
3. **suit :** [suːt] ou [sjuːt].
4. **atop :** on top of.
5. **he dropped nickels :** *il mit des pièces de 5 cents.* To drop a dime, *jeter une pièce dans une fente.*
6. **rose mornings :** de to rise, rose, rose, *se lever.* Mornings : every morning.
7. **town :** notez que town est toujours employé sans article derrière une préposition : to, in, across town.

Ce soir-là, il s'offrit un bain turc brûlant, un succulent filet de bœuf aux champignons fins, du sherry sec d'importation et des fraises au vin. Il se choisit un costume neuf en flanelle bleue et un luxueux feutre gris qui oscillait de façon cocasse sur le dessus de son crâne osseux. Il glissa une pièce dans un juke-box qui se mit à jouer *That Old Gang of Mine* et, de par la ville, il fit jouer ainsi une vingtaine de machines si bien que, dans la nuit, les rues désertes résonnaient des accents tristes de *That Old Gang of Mine* tandis qu'il errait, les mains dans les poches, grand escogriffe solitaire, dont les chaussures neuves couinaient doucement.

Mais tout cela datait d'une semaine. Il avait passé ses nuits dans une maison confortable de Mars Avenue. Le matin, il se levait à neuf heures, prenait un bain et allait tranquillement en ville chercher ses œufs au bacon. Il ne s'était pas passé une matinée qu'il ne congelât une tonne de viande, de légumes et de tartes au citron — assez pour tenir dix ans — jusqu'à ce que les fusées reviennent de la Terre ; si jamais elles revenaient.

A présent, il déambulait devant les vitrines colorées, admirant les mannequins de cire, roses et aguichants. Pour la première fois, il réalisait que la ville était totalement morte. Il se tira une bière pression et se mit à sangloter doucement.

Bon sang, se dit-il, je suis vraiment *seul.*

Il entra au cinéma l'Élite pour se projeter un film et se distraire de son isolement. La salle vide était aussi caverneuse qu'une tombe ; des fantômes gris et noirs rampaient sur l'écran géant. Frissonnant, il quitta précipitamment ce lieu hanté. Il venait de décider de rentrer chez lui et il attaquait une ruelle, au pas de course, en plein milieu de la chaussée, quand il entendit le téléphone sonner.

---

8. **tonight :** ▲ correspond au français *ce soir.*
9. **drifted up and down :** *errait de long en large.*
10. **theater :** US, *salle de cinéma ;* GB, **theatre,** *théâtre.*
11. **to distract :** ▲ ne signifie pas toujours *distraire, divertir,* mais souvent : *égarer, rendre fou.* **Distraction,** *folie, égarement.*
12. **hollow :** *creux, évidé, caverneux.*
13. **the :** a souvent un sens aussi fort que le démonstratif that.
14. **to strike :** (ici), *prendre une direction.* **To strike down (up) a street,** *s'engager dans une rue.* **To strike across a square,** *traverser une place.*

He listened.
"Phone ringing in someone's house."
He proceeded[1] briskly.
"Someone should answer that phone," he mused[2].
He sat on a curb to pick a rock from his shoe, idly[3].

"Someone !" he screamed, leaping. "Me ! Good lord, what's wrong with me !" he shrieked. He whirled. "Which house ? That one !"

He raced over the lawn, up the steps, into[4] the house, down a dark hall.

He yanked[5] up the receiver.

"Hello !" he cried.

Buzzzzzzzzz.

"Hello, hello !"

They had hung up.

"Hello !" he shouted, and banged[6] the phone. "You stupid idiot !" he cried to himself. "Sitting on that curb, you fool ! Oh, you damned and awful fool !" He squeezed[7] the phone. "Come on, ring again ! Come *on*[8] !"

He had never thought there might be others left on Mars. In the entire week he had seen no one. He had figured that all other towns were as empty as this one.

Now, staring at this terrible little black phone, he trembled. Interlocking[9] dial systems connected every town on Mars. From which of thirty cities had the call come ?

He didn't know.

He waited. He wandered[10] to the strange[11] kitchen, thawed[12] some iced[13] huckleberries, ate them disconsolately.

"There wasn't anyone on[14] the other end of that call," he murmured. "Maybe a pole blew down somewhere and the phone rang by itself."

---

1. **to proceed :** 1) *poursuivre, continuer* ; 2) *avancer, suivre son cours* ; 3) *commencer, se mettre à.*
2. **to muse :** *méditer, rêver, rêvasser.*
3. **idly :** *nonchalamment, futilement.* **To be idle** : *être oisif, désœuvré.*
4. **over, up, into... :** notez l'importance des prépositions anglaises qui ont la valeur d'un verbe d'action. Il faut cinq verbes au français pour dire la même chose.
5. **to yank :** *tirer d'une secousse, brutalement.*
6. **to bang :** *donner, frapper un coup violent, heurter.*
7. **to squeeze :** *presser, comprimer, étreindre, pressurer.*

Il tendit l'oreille.

« Tiens, le téléphone. »

Il poursuivit sa route.

Quelqu'un devrait répondre, se dit-il sans réfléchir.

Il s'assit sur le bord du trottoir pour retirer un gravier de sa chaussure, distraitement.

« Quelqu'un ! hurla-t-il soudain, se relevant d'un bond, mais c'est moi ! Bon Dieu, qu'est-ce qui me prend ? » Il pivota. « Dans quelle maison ? Celle-là ! »

Il fonça à travers la pelouse, gravit les marches du perron, se rua dans le couloir sombre.

Il empoigna l'écouteur.

« Allô ! »

BzBzBzBzBz.

« Allô ! Allô ! »

On avait raccroché.

Il hurla « Allô ! », puis il raccrocha violemment le récepteur. « Quel imbécile ! s'injuria-t-il. Rester assis sur le trottoir, pauvre idiot ! Quel sinistre crétin je suis ! » Il saisit le téléphone. « Allez, sonne encore, Bon Dieu, sonne ! »

Il n'avait jamais pensé qu'il pouvait rester quelqu'un d'autre que lui sur Mars. De toute la semaine, il n'avait vu âme qui vive. Il s'était imaginé que toutes les autres villes étaient aussi désertes que celle-ci.

A présent, l'œil rivé à ce diable de petit téléphone noir, il tremblait. Toutes les villes martiennes étaient reliées par un même réseau téléphonique. De laquelle des trente cités cet appel venait-il ?

Il n'en savait rien.

Il attendit. Il se rendit à la cuisine, décongela des myrtilles qu'il mangea dans la consternation.

« Il n'y avait personne à l'autre bout, murmura-t-il. C'est sans doute un pylône qui s'est abattu quelque part et ça a fait sonner le téléphone. »

---

8. **come on :** (ici), *dépêche-toi, viens, allez !*
9. **to interlock :** *entrecroiser, entrelacer, enclencher, relier, synchroniser.*
10. **to wander :** *aller sans but, au hasard, errer.*
11. **strange :** (ici) *étrangère, inconnue.*
12. **to thaw :** *dégeler, fondre, décongeler.*
13. **iced :** 1) *rafraîchi, glacé.* **Iced wine,** *vin frappé ;* 2) *congelé.* **Ice-cubes,** *glaçons.*
14. **on :** il s'agit ici du téléphone, d'où la prép. **on.**

But hadn't he heard[1] a click, which[2] meant[3] someone had hung up[4] far away ?

He stood in the hall the rest of the night. "Not because of the phone", he told himself. "I just haven't anything else to do."

He listened to his watch tick.

"She won't phone back[5]," he said. "She won't ever[6] call a number that didn't answer. She's probably dialing other houses in town right *now*[7] ! And here I sit — Wait a minute !" He laughed. "Why do I keep[8] saying 'she' ?"

He blinked. "It could as easily be a 'he', couldn't it[9] ?"

His heart slowed. He felt very cold and hollow.

He wanted very much for it to be a "she."

He walked out of the house and stood in the center of the early, dim[10] morning street.

He listened. Not a sound. No birds. No cars. Only his heart beating. Beat and pause and beat again. His face ached with strain[11]. The wind blew gently, oh so gently, flapping[12] his coat.

"Sh," he whispered. *"Listen"*.

He swayed in a slow circle, turning his head from one silent house to another.

She'll phone[13] more and more numbers, he thought. It must be a woman. Why ? Only a woman would call and call. A man wouldn't[14]. A man's independent. Did I phone anyone ? No ! Never thought of it. It must[15] be a woman. It *has* to be, by God !

Listen.

Far away, under the stars, a phone rang.

---

1. **hadn't he heard :** contraction de la forme interrogative had he not heard.
2. **which :** ⚠ relatif, reprend toute la proposition précédente. Notez que, dans ce cas, il est précédé d'une virgule.
3. **to mean, meant** [ment]**, meant :** *vouloir dire, signifier.*
4. **to hang up :** *raccrocher.* To hang on, *conserver.*
5. **phone back :** syn. to call back, *rappeler.* Can you call back later ? *pouvez-vous me rappeler ?*
6. **she won't ever :** she will never.
7. **right now :** US, GB, at the moment : *tout de suite.*
8. **keep + -ing :** continuer à. Syn. : to go on + -ing.
9. **couldn't it :** rappel : la reprise interrogative de l'auxiliaire

Pourtant il avait bien entendu un déclic, ce qui voulait dire que quelqu'un avait raccroché.

Il resta dans le couloir tout le reste de la nuit. « Ce n'est pas pour le téléphone, se persuadait-il, mais qu'est-ce que je pourrais faire d'autre ? »

Il écoutait le tic-tac de sa montre.

« Elle ne rappellera pas, dit-il. Elle ne va jamais rappeler un numéro qui n'a pas répondu. Elle doit être en train d'en appeler d'autres, en ville, juste en ce moment. Et moi qui suis là — Attends voir ! » Il se mit à rire.

« Pourquoi est-ce que je dis tout le temps "elle" ? » Il grimaça. « Ça pourrait aussi bien être "il", non ? » Son cœur s'arrêta. Il sentit soudain un grand vide glacé.

Il désirait ardemment que ce fût « elle ».

Il quitta la maison et alla se planter au milieu de la rue dans l'aube laiteuse.

Il tendit l'oreille. Pas un bruit. Pas un oiseau. Pas une voiture. Rien que les battements de son cœur. Un coup, un silence, un coup. A force de concentration, son visage devenait douloureux. Une légère brise — oh ! si légère ! — fit battre les pans de son costume.

« Chut, murmura-t-il, *écoute.* »

Il tourna lentement sur lui-même, tendant l'oreille d'une maison silencieuse vers une autre.

Elle va appeler d'autres numéros, pensa-t-il, *encore et encore. Ce doit être une femme. Pourquoi ? Seule une femme appellerait comme ça. Un homme, non. Un homme, c'est indépendant. J'ai téléphoné, moi ? Non ! Même pas pensé. C'est sûrement une femme. Il le faut, nom de Dieu !*

Écoute.

Dans le lointain, sous les étoiles, un téléphone se mit à sonner.

---

comporte une négation si la phrase principale n'en contient pas.

10. **dim :** *pâle, obscur, indistinct, vague, confus.* **A dim notion,** *une vague idée.*
11. **strain :** *tension, effort, contrainte.* **A strained ankle, muscle,** *une entorse, un claquage.*
12. **to flap :** *battre, claquer, frapper doucement.*
13. **to phone** + cod. : ⚠ *téléphoner à.*
14. **wouldn't :** reprise du verbe par le seul auxiliaire.
15. **must :** marque ici la conviction. Plus loin, **have to** exprime une nécessité objective : *il faut absolument que...*

He ran. He stopped to listen[1]. The ringing, soft. He ran a few more steps. Louder. He raced[2] down an alley. Louder still ! He passed six houses, six more. Much louder ! He chose a house and its door was locked.

The phone rang inside.

"Damn you !" He jerked[3] the doorknob[4].

The phone screamed.

He heaved[5] a porch[6] chair through the parlor window, leaped in after it.

Before he even touched the phone, it was silent.

He stalked through the house then and broke mirrors, tore[7] down drapes, and kicked in the kitchen stove.

Finally, exhausted, he picked up the thin directory[8] which listed[9] every phone on Mars. Fifty thousand names.

He started with[10] number one.

Amelia Ames. He dialed[11] her number in New Chicago, one hundred miles over[12] the dead sea.

No answer.

Number two lived in New New York, five thousand miles across the blue mountains.

No answer.

He called three, four, five, six, seven, eight, his fingers jerking, unable to grip[13] the receiver.

A woman's voice answered, "Hello[14] ?"

Walter cried back at her, "Hello, oh lord, hello !"

"This is a recording[15]," recited the woman's voice. "Miss Helen Arasumian is not home.

---

1. **stopped to listen :** ne pas confondre avec : he stopped listening, *il cessa d'écouter.*
2. **to race :** *aller à toute vitesse.* A race, *une course.*
3. **to jerk :** *secouer* (mouvement saccadé, brusque, par à-coups).
4. **knob :** *bouton, poignée, molette, crochet.* ⚠ k est toujours muet devant n : knee, knock [ni:], [nɒk].
5. **to heave, hove, hove (**ou **heaved) :** *soulever, lever* (avec effort).
6. **porch :** ⚠ US, *véranda* ; GB, *porche.*
7. **tore :** de to tear, tore, torn : *déchirer.* A tear, *un accroc, une déchirure.*
8. **directory :** *répertoire, annuaire.* To look up the directory, *consulter l'annuaire téléphonique.*

Il s'élança, puis s'arrêta pour écouter. La sonnerie était faible. Il courut encore quelques mètres. Plus forte. Il s'engouffra dans une ruelle. Encore plus forte. Il dépassa six maisons ; six autres. Nettement plus forte, cette fois. Il choisit une maison ; la porte était fermée à clé.

Le téléphone sonnait à l'intérieur.

« Bon Dieu ! » jura-t-il en secouant la poignée.

La sonnerie continuait, stridente.

Il saisit une chaise de la véranda, fracassa la fenêtre du petit salon et sauta à l'intérieur.

Avant même qu'il ait pu saisir l'appareil, le téléphone s'était tu...

Alors, à grandes enjambées, il parcourut la maison, cassa les miroirs, arracha les rideaux et balança des coups de pied dans la cuisinière.

Finalement, épuisé, il saisit l'annuaire peu épais qui donnait la liste de tous les abonnés de Mars. Cinquante mille noms.

Il commença par le premier.

Amelia Ames.

Il fit son numéro à New Chicago, à cent cinquante kilomètres de l'autre côté de la mer morte.

Pas de réponse.

Le numéro deux vivait à New New York, à sept mille kilomètres par-delà les montagnes bleues.

Pas de réponse.

Il appela les numéros trois, quatre, cinq, six, sept, huit, les doigts fébriles, incapable de maintenir l'écouteur.

Une voix féminine s'annonça « Allô ? »

— Allô ! hurla Walter en réponse, oh, Dieu ! Allô !

— Ceci est un enregistrement, récita la voix de femme. Mlle Helen Arasumian est absente pour le moment.

---

9. **to list :** *enregistrer, inventorier, établir une liste, faire figurer* (dans un catalogue, etc.).
10. **with :** notez l'emploi de cette préposition.
11. **to dial, dialed, dialing** (GB **dialled, dialling**) **:** *composer, faire un numéro.* A dial : *un cadran.*
12. **over :** exprime l'idée de distance à franchir.
13. **to grip :** *étreindre, serrer.*
14. **hello :** le *allô* anglais se prononce comme **hello**, *bonjour.*
15. **recording :** de to record, *enregistrer.* **A record**, *un disque.*
⚠ Notez la différence d'accentuation entre verbe et subst. **To record** [rɪ'kɔːd], mais **a record** ['rekɔːd].

Will you leave a message on the wire spool[1] so she may[2] call you when she returns[3] ? Hello ? This is a recording. Miss Arasumian is not home. Will you leave a message —"

He hung up.

He sat with his mouth twitching.

On second thought[4] he redialed that number.

"When Miss Helen Arasumian comes home" he said, "tell her to go to hell."

He phoned Mars Junctions, New Boston, Arcadia, and Roosevelt City exchanges, theorizing that they would be logical places for persons to dial from[5]; after that he contacted local city halls[6] and other public institutions in each town. He phoned the best hotels. Leave it to[7] a woman to put herself up[8] in luxury[9].

Suddenly he stopped, clapped[10] his hands sharply together, and laughed. Of course ! He ckecked the directory and dialed a long distance call[11] through[12] to the biggest beauty parlor[13] in New Texas City. If ever there was a place where a woman would putter around[14], patting mud packs on her face and sitting under a drier, it would be a velvet-soft, diamond-gem beauty parlor !

The phone rang. Someone at the other end lifted the receiver[15].

A woman's voice said, "Hello ?"

"If this is a recording," announced Walter Gripp, "I'll come over and blow the place up[16]."

---

1. **spool :** *bobine.* Le mot est désuet dans ce contexte. On dit aujourd'hui : tape. Cf. a tape-recorder.
2. **so she may :** suivi d'un modal, so (mis pour so that) exprime le but, *afin que* + subjonctif.
3. **when she returns :** pas de futur après une conjonction de temps.
4. **on second thought :** lit. : *« en deuxième pensée », réflexion faite.* To have second thoughts, *se raviser.*
5. **logical places for persons to dial from :** *« des endroits d'où il est logique que les gens téléphonent ».*
6. **city hall :** *mairie, hôtel de ville.*
7. **leave it to (sbd) to :** lit. : *« laissez ça (à qqn) de... », faites confiance à qqn pour...*
8. **to put up :** 1) *accommoder, loger, héberger qqn ;* 2) (at, with) *séjourner (à, chez).*

Si vous voulez laisser un message sur le répondeur, elle vous rappellera dès son retour. Allô ? Ceci est un enregistrement. Mlle Arasumian est absente. Si vous voulez laisser un message... »

Il raccrocha et s'assit, un tic nerveux au coin de la bouche.

Après réflexion, il refit le numéro.

« Quand Mlle Helen Arasumian rentrera, dit-il, dites-lui d'aller se faire voir. »

Il appela les standards de Mars Junction, New Boston, Arcadia, et Roosevelt City, supposant que, si quelqu'un cherchait à téléphoner, il le ferait probablement de là ; ensuite il contacta les mairies et les institutions publiques de chaque ville. Il appela les meilleurs hôtels. C'était bien d'une femme de s'installer dans le luxe.

Puis, soudain, il s'arrêta et se frappa dans les mains en éclatant de rire. Évidemment ! Il consulta l'annuaire et fit un appel en longue distance pour le plus grand salon de beauté de New Texas City. S'il y avait un endroit où une femme devait se prélasser, assise sous un séchoir, s'étalant des couches de boue sur la figure, c'était bien un salon de beauté, aux douceurs de velours et aux scintillements de diamant.

Le téléphone sonna. A l'autre bout, quelqu'un décrocha l'appareil.

« Allô ? fit une voix de femme.

— Si c'est un enregistrement, avertit Walter Gripp, j'arrive et je démolis la boutique.

---

9. **luxury :** [ˈlʌkʃərɪ].
10. **to clap (one's hands) :** *claquer, battre des mains, applaudir.*
11. **long distance call :** *appel interurbain.*
12. **through :** to put through, *faire passer un appel.* **Could you put me through to extension 65 ?** *pourriez-vous me passer le poste 65 ?*
13. **parlor :** US, *salon.* Orth. anglaise : **parlour.**
14. **to putter around :** US pour **to potter about,** *s'occuper à des riens, bricoler, traînasser.* L'américain emploie plus fréquemment **around** que **about,** qui est plus anglais.
15. **lifted the receiver :** m. à m. : *« souleva l'écouteur ».*
16. **to blow up :** 1) *faire sauter, exploser ;* 2) *gonfler ;* 3) *agrandir* (une photo). Fam. : **I blew him up,** *je lui ai passé un savon.*

"This isn't a record," said the woman's voice. "Hello ! Oh, hello, there is someone alive ! Where *are* you ?" She gave a delighted scream.

Walter almost collapsed[1]. *"You !"* He stood up jerkily, eyes wild. "Good lord, what luck, what's your name ?"

"Genevieve Selsor !" She wept into the receiver. "Oh, I'm so glad to hear from you[2], whoever you are !"

"Walter Gripp !"

"Walter, hello, Walter !"

"Hello, Genevieve !"

"Walter. It's such a nice name. Walter, Walter !"

"Thank you."

"Walter, where are you ?"

Her voice was so kind and sweet and fine. He held the phone tight to his ear so she could whisper sweetly into it[3]. He felt his feet drift off the floor. His cheeks burned.

"I'm in Marlin Village," he said. "I —"

Buzz.

"Hello ?" he said.

Buzz.

He jiggled the hook[4]. Nothing.

Somewhere a wind had blown down a pole. As quickly as she had come, Genevieve Selsor was gone[5].

He dialed, but the line was dead.

"I know where she is, anyway." He ran out of the house. The sun was rising as he backed a beetle-car[6] from the stranger's[7] garage, filled its back seat[8] with food from the house[9], and set out[10] at eighty miles an hour down the highway, heading for[11] New Texas City.

A thousand miles, he thought. Genevieve Selsor, sit tight[12], you'll hear from me !

---

1. **to collapse :** 1) *s'effondrer, s'écrouler ;* 2) *s'évanouir* (ici) ; syn. to faint, to pass out.
2. **to hear from you :** lit. : *« avoir de vos nouvelles ».*
3. **so ... it :** m. à m. : *« pour qu'elle y murmure tendrement ».*
4. **he jiggled the hook :** m. à m. : *« il branla le crochet ».* Hook : *croc, griffe, patère, crochet, hameçon.*
5. **was gone :** to be gone : 1) *être parti, absent ;* 2) *être mort, disparu.* Be gone ! *Allez-vous-en !*
6. **a beetle-car :** lit. : *« une voiture scarabée ».* A beetle : *un coléoptère.*

— Ce n'est pas un disque », fit la voix féminine. « Allô ! oh, Allô ! il y a donc bien quelqu'un de vivant ! Où êtes-vous ? » Elle lâcha un cri ravi.

Walter faillit s'évanouir. « C'est *vous* ! » Il se leva nerveusement, les yeux fous. « Bonté divine ! quelle chance, comment vous appelez-vous ?

— Genevieve Selsor ! » Elle pleurait dans l'écouteur. « Oh ! je suis si contente de vous entendre, qui que vous soyez !

— Walter Gripp !

— Walter, bonjour Walter !

— Bonjour, Genevieve !

— Walter. C'est un si joli nom. Walter, Walter !

— Merci.

— Walter, où êtes-vous ? »

Sa voix était si engageante, si douce, si jolie. Il pressait l'écouteur contre son oreille pour ne rien perdre du tendre chuchotement.

« Allô ? » fit-il, se sentant décoller du sol, les joues en feu. « Je suis à Marlin Village, dit-il, je... »

Bzbzbzbz.

« Allô ? »

Bzbzbzbz.

Il tapota le contact. Rien.

Quelque part le vent avait abattu un pylône. Aussi vite qu'elle était apparue, Genevieve Selsor était partie.

Il refit le numéro, mais la ligne était coupée.

« Je sais où elle est, en tout cas. » Il se précipita hors de la maison. Et comme le soleil se levait, il sortait en marche arrière du garage inconnu, dans une buggy dont il avait rempli l'arrière de nourriture et il s'élançait à cent quarante à l'heure sur l'autoroute, vers New Texas city.

Quinze cents kilomètres, pensait-il. *Genevieve Selsor, tiens-toi bien, tu vas entendre parler de moi !*

---

7. **stranger :** *étranger, inconnu. Étranger au pays :* foreigner.
8. **back seat :** *siège arrière. Le coffre :* US, trunk ; GB, boot.
9. **food from the house :** *de la nourriture prise dans la maison.*
10. **to set out :** *se mettre à* (+ -ing), *se mettre en route.*
11. **heading for :** *se dirigeant vers, prenant la direction de.* A heading : *un cap.*
12. **sit tight :** lit. : *« reste assis bien droit ».*

He honked his horn on every turn out of town.

At sunset, after an impossible[1] day of driving, he pulled to the roadside, kicked off his tight shoes, laid himself out in the seat, and slid the gray Homburg over his weary[2] eyes. His breathing became slow and regular. The wind blew and the stars shone gently upon him in the new dusk. The Martian mountains lay all around, millions of years old[3] ! Starlight glittered[4] on the spires of a little Martian town, no bigger than a game of chess, in the blue hills.

He lay in the half-place between awakeness[5] and dreams. He whispered. Genevieve. *Oh, Genevieve, sweet Genevieve*, he sang softly, *the years may come*[6], *the years may go. But Genevieve, sweet Genevieve...* There was a warmth[7] in him. He heard her quiet sweet cool[8] voice sighing. *Hello, oh, hello, Walter ! This is no record*[9]. *Where are you, Walter, where are you ?*

He sighed, putting up a hand to touch her in the moonlight. Long dark hair shaking in the wind ; beautiful, it was. And her lips like red peppermints. And her cheeks like fresh-cut wet roses. And her body like a clear vaporous mist, while her soft cool sweet voice crooned[10] to him once more the words to[11] the old sad song. *Oh, Genevieve, sweet Genevieve, the years may come, the years may go...*

He slept.

He reached New Texas City at midnight.

He halted[12] before the Deluxe Beauty Salon, yelling.

He expected her to rush out, all perfume, all laughter[13].

Nothing happened.

---

1. **impossible :** ▲ *invraisemblable, difficile, absurde, déraisonnable.* She was wearing an impossible hat, *elle portait un chapeau impayable.*
2. **weary :** ['wɪərɪ].
3. **old :** à la question how old are you ? on peut répondre : I'm twenty, ou I'm twenty years old.
4. **starlight glittered :** *la clarté des étoiles scintillait.* Même formation que starlight : sunlight, moonlight, limelights *(les feux de la rampe).*
5. **awakeness :** *état éveillé, conscient.* To be awake, *être éveillé.*
6. **the years may come :** lit. : *« les années peuvent bien venir ».*
7. **warmth :** notez la formation du substantif par affixation -th

En quittant la ville, il klaxonnait à chaque virage.

Au soleil couchant, après une éprouvante journée de route, il s'arrêta sur le bas-côté, se débarrassa de ses chaussures trop serrées, s'étendit sur le siège et fit glisser le feutre gris sur ses yeux fatigués. Sa respiration se fit lente et régulière. Le vent soufflait et les étoiles brillaient doucement au-dessus de lui dans le crépuscule. Les montagnes martiennes s'étendaient alentour, vieilles de millions d'années. Sous la clarté des étoiles, les tours d'une petite ville martienne, pas plus grande qu'un jeu d'échecs, luisaient dans les collines bleues.

Il avait glissé dans cet état incertain, entre la veille et le rêve. Il murmurait. « Genevieve. » *« Oh, Genevieve, douce Genevieve,* chantonnait-il, *viennent les ans et passent les années. Mais Genevieve, douce Genevieve...* » Il sentait comme une chaleur en lui. Il entendait la voix paisible, suave et fraîche, lui sussurer : *« allô, oh, allô Walter ! Ce n'est pas un disque. Où êtes-vous, Walter ? où êtes-vous ? »*

Il soupira, tendit la main pour la toucher dans la clarté lunaire. De longs cheveux noirs ondulant dans le vent ; superbe. Et ses lèvres comme de rouges bonbons acidulés. Et ses joues, pareilles à des roses humides fraîchement cueillies. Et son corps comme une vapeur légère, tandis que sa voix douce, fraîche et suave, roucoulait encore une fois en chantant pour lui les mots de la vieille chanson mélancolique, *« Oh, Genevieve, douce Genevieve, viennent les ans et passent les années... »*

Il s'endormit.

Il atteignit New Texas City à minuit.

Il s'arrêta devant le salon de beauté Deluxe, en hurlant à tue-tête.

Il s'attendait à ce qu'elle se précipite vers lui, en une bouffée de rires et de parfum.

Il ne se passa rien.

à un adj. ou à un verbe. Cf. **grow-growth, wide-width, long-length, stong-strength.**

8. **sweet cool :** l'adj. épithète se place devant le nom. S'il y a plusieurs adj., le plus caractéristique est placé le plus près du nom.
9. **no record :** l'expression est plus forte que **this is not a record.**
10. **to croon :** *roucouler.* **A crooner,** *un chanteur de charme.*
11. **to :** il y a pas notion d'appartenance **(of)**, mais d'accompagnement (les paroles qui accompagnent la rengaine).
12. **to halt :** *faire halte, faire un arrêt* (brutal), *s'arrêter.*
13. **laughter :** *le rire* [laːfər].

"She's asleep." He walked to the door. "Here I am !" he called. "Hello, Genevieve !"

The town lay in double moonlit[1] silence. Somewhere a wind flapped a canvas awning.

He swung the glass door wide and stepped in.

"Hey !" He laughed uneasily. "Don't hide ! I know you're here !"

He searched every booth[2].

He found a tiny handkerchief[3] on the floor. It smelled so good he almost lost his balance. "Genevieve," he said.

He drove the car through the empty streets but saw nothing. "If this is a practical joke..."

He slowed the car. "Wait a minute. We were cut off. Maybe she drove to Marlin Village while I was driving here ! She probably took the old Sea Road. We missed[4] each other during the day. How'd she[5] know I'd come get her[6] ? I didn't say I would. And she was so afraid when the phone died that she rushed to Marlin Village to find me ! And here I am, by God, what a fool *I* am !"

Giving the horn a blow[7], he shot[8] out of town.

He drove all night. He thought, What if she isn't in Marlin Village waiting, when I arrive ?

He wouldn't[9] think of that. She *must* be there. And he would run up and hold her and perhaps even kiss her, once, on the lips.

Genevieve, sweet Genevieve, he whistled, stepping it up to one hundred miles an hour[10].

Marlin Village was quiet at dawn. Yellow lights were still burning in several[11] stores, and a juke box that had played steadily for one hundred hours finally, with a crackle of electricity, ceased, making the silence complete. The sun warmed the streets and warmed the cold and vacant sky.

---

1. **moonlit :** *éclairé par la lune.* Double : *deux, double*, porte en fait sur moon. Mars a en effet 2 satellites ou « lunes » : Phobos et Deimos. La tournure dénote la recherche d'un effet poétique.
2. **booth :** *baraque, loge, cabine.* Phone booth, US, *cabine téléphonique ;* GB, phone box.
3. **handkerchief :** *mouchoir.* Fam. hanky ; *en papier,* tissue.
4. **to miss :** *rater, manquer.* ⚠ I miss you, *tu me manques.*
5. **how'd she :** langue parlée. Élision incorrecte de could : how could she know I would come.
6. **come get her :** tendance américaine du langage familier à

« Elle dort. » Il alla à la porte. « Me voilà ! cria-t-il. Houhou ! Genevieve ! »

La ville reposait, silencieuse, sous le double clair de lune. Quelque part, un souffle d'air fit battre un auvent de toile. Il ouvrit brutalement la porte vitrée et entra.

« Hoho ! » Il riait, gêné. « Ne vous cachez pas ! Je sais que vous êtes là. »

Il fouilla toutes les cabines.

Par terre, il découvrit un mouchoir minuscule qui sentait si bon qu'il en défaillit presque. « Genevieve », dit-il.

Il parcourut les rues vides dans sa voiture, mais ne vit rien. « Si c'est une sale blague... »

Il ralentit. « Attends voir ! On a été coupés. Peut-être qu'elle est partie pour Marlin Village alors que je venais ici. Elle a dû prendre la vieille route du bord de mer. On s'est ratés pendant la journée. Comment pouvait-elle savoir que je viendrais la chercher ? Je ne le lui ai pas dit. Et elle a eu si peur quand la ligne a été coupée qu'elle s'est précipitée à Marlin Village pour me retrouver ! Et moi qui suis là, bon Dieu, quel crétin ! »

Et sur un coup de klaxon, il fonça hors de la ville.

Il conduisit toute la nuit. *Et si elle n'est pas à Marlin Village à m'attendre, quand j'arrive ?* songea-t-il.

Mais il ne voulait pas penser à ça. Il fallait qu'elle y fût. Et il courrait au-devant d'elle, la prendrait dans ses bras et peut-être même, il l'embrasserait, une fois, sur la bouche.

« Genevieve, douce Genevieve », sifflotait-il en écrasant l'accélérateur, à cent soixante à l'heure.

A l'aube, Marlin Village était calme. Des lumières jaunes brûlaient encore dans quelques magasins et un juke-box qui avait joué sans arrêt pendant cent heures d'affilée se tut enfin, dans un grésillement d'électricité, rendant le silence total. Le soleil réchauffait les rues et réchauffait le ciel vide et froid.

---

supprimer and après to go et to come : to come and get her.
7. **giving the horn a blow :** lit. : *« soufflant dans la trompe » ; klaxonnant.* Syn. : blowing the horn. Horn : 1) *trompe, corne, sirène ;* 2) *corne* (d'un animal).
8. **to shoot :** aussi *filer, aller à toute vitesse.*
9. **wouldn't :** ici marque l'obstination : *il n'y penserait décidément pas.*
10. **an hour :** notez l'emploi de an (le h de hour est muet) dans cette expression.
11. **several :** *plusieurs.*

Walter turned down Main Street[1], the car lights still on[2], honking[3] the horn a double toot, six times at one corner, six times at another. He peered at the store names. His face was white and tired, and his hands slid on the sweaty[4] steering wheel.

"Genevieve !" he called in the empty street.

The door to a beauty salon opened.

"Genevieve !" He stopped the car.

Genevieve Selsor stood in the open door of the salon as he ran across the street. A box of cream chocolates lay open in her arms. Her fingers, cuddling it, were plump and pallid. Her face, as she stepped into the light, was round and thick, and her eyes were like two immense eggs stuck[5] into a white mess of bread dough[6]. Her legs were as big[7] around[8] as the stumps of trees, and she moved with an ungainly shuffle. Her hair was an indiscriminate shade of brown that had been made and remade, it appeared[9], as a nest for birds[10]. She had no lips at all and compensated this by stenciling on a large red, greasy mouth that now popped open in delight, now[11] shut in sudden alarm. She had plucked her brows to thin antenna lines.

Walter stopped. His smile dissolved. He stood looking at her.

She dropped[12] her candy box to the sidewalk.

"Are you — Genevieve Selsor ?" His ears rang.

"Are you Walter Griff ?" she asked.

"Gripp."

"Gripp," she corrected herself.

"How do you do[13] ?" he said with a restrained voice.

---

1. **Main Street :** lit. : *« la rue principale ».*
2. **on :** allumée ≠ off. (The light is on ≠ off.)
3. **to honk :** *klaxonner.* A double toot : onomatopée : *tuut.*
4. **sweaty :** ⚠ pron. La graphie ea se prononce quelquefois [e], comme dans bed : to sweat, *suer ;* head, *tête ;* steady, *régulier ;* to tear, *déchirer ;* weapon, *arme ;* to tread, *marcher.*
5. **to stick, stuck, stuck :** *coller.* A sticker, *un autocollant.*
6. **dough** [doː] **:** *la pâte à pain.*
7. **as big ... as :** comparatif d'égalité : as + adj. (court, long) + as. Se dit aussi so, adj., as, surtout aux f. int. et nég.
8. **around :** adv. : *de circonférence, de tour.* Même construction : 30 feet high, 10 feet wide.

Walter tourna dans Main Street, phares allumés, klaxonnant en salves, six fois à un croisement, six fois à un autre. Il scrutait les noms des magasins. Il avait le visage blême et fatigué ; ses mains glissaient sur le volant moite de sueur.

« Genevieve ! » appela-t-il dans la rue déserte.

La porte d'un salon de beauté s'ouvrit.

« Genevieve ! » Il arrêta la voiture.

Alors qu'il traversait la rue en courant, Genevieve Selsor apparut dans l'embrasure de la porte. Elle tenait dans les bras une boîte de chocolats au lait ouverte qu'elle étreignait de ses doigts blancs boudinés. Elle s'avança en pleine lumière. Elle avait un visage rond aux traits lourds et ses yeux ressemblaient à deux œufs énormes enfoncés dans une masse blanchâtre de pâte levée. Elle avait des jambes comme des poteaux et traînait lourdement les pieds en marchant. Ses cheveux étaient d'un brun indéfinissable et semblaient avoir servi et resservi de nid à des oiseaux. Elle n'avait pas de lèvres du tout et compensait cela en se dessinant, au rouge à lèvres, une bouche large et luisante qui d'abord s'ouvrit dans un lapement d'excitation, puis se referma, soudain alarmée. Elle avait épilé ses sourcils qui n'étaient plus que deux fines antennes.

Walter s'arrêta net. Son sourire s'évanouit. Il resta planté là à la regarder.

Elle laissa tomber sa boîte de chocolats sur le trottoir.

« Vous êtes Genevieve Selsor ? » Ses oreilles sifflaient.

« Vous êtes Walter Griff ? demanda-t-elle.

— Gripp.

— Gripp, corrigea-t-elle.

— Comment allez-vous ? fit-il d'une voix contrainte.

---

9. **made ... appeared :** m. à m. : *« faits et refaits, semblait-il. »*
10. **as a nest for birds :** *en guise de nid à oiseaux.* ⚠ As n'indique pas ici une comparaison, mais une qualité : **he got a job as a painter,** *il a trouvé une place comme (en tant que) peintre.*
11. **now ... now :** n'indique pas ici la répétition, mais un changement brusque : *sur le moment ... l'instant d'après.*
12. **to drop :** 1) *lâcher, laisser tomber ;* 2) *tomber, s'abattre.*
13. **how do you do :** *enchanté de faire votre connaissance.* A cette fausse question, que se posent deux personnes qui se rencontrent pour la première fois, on répond : **How do you do ?** ⚠ *Comment allez-vous ?* **How are you ?**

"How do you do ?" She shook his hand[1].
Her fingers were sticky with chocolate.

"Well," said Walter Gripp.
"What ?" asked Genevieve Selsor.
"I just said, 'Well,'" said Walter.
"Oh."

It was nine o'clock[2] at night. They had spent the day picnicking, and for supper he had prepared a filet mignon which she didn't like because it was too rare[3], so he broiled it some more and it was too much broiled or fried or something. He laughed and said, "We'll see a movie[4] !" She said okay and put her chocolaty fingers on his elbow. But all she wanted to see was a fifty-year-old film of Clark Gable. "Doesn't he just kill you ?" She giggled. "Doesn't he *kill* you, now ?" The film ended. "Run[5] it off again," she commanded. "Again ?" he asked. "Again," she said. And when he returned she snuggled up and put her paws all over him. "You're not quite what I expected, but you're nice[6]," she admitted. "Thanks," he said, swallowing. "Oh, that Gable," she said, and pinched his leg. "Ouch," he said.

After the film they went shopping down the silent streets. She broke a window[7] and put on the brightest dress she could find. Dumping a perfume bottle on her hair[8], she resembled a drowned sheep dog. "How old are you ?" he inquired[9]. "Guess." Dripping, she led[10] him down the street. "Oh, thirty," he said. "Well," she announced stiffly, "I'm only twenty-seven, so there !"

---

1. **shook his hand :** le shake-hand anglo-saxon n'a cours, entre deux individus, que la première fois qu'ils se rencontrent. Par la suite, une simple formule de politesse ou **a nod** suffiront.
2. **nine o'clock :** se dit aussi **9 p.m.** Le système anglo-saxon s'étage sur 12 heures, **a.m.** et **p.m.** Néanmoins le système des 24 heures est de plus en plus employé pour les horaires de transport.
3. **rare :** les trois degrés traditionnels de cuisson sont : **rare,** *bleu ;* **medium rare,** *saignant ;* **well-done,** *à point.*
4. **movie :** US, *film ;* GB, **picture, film. The movies,** US, *le cinéma.* GB, **the cinema, the pictures. Movie camera,** *caméra.*
5. **run : to run a film,** *passer un film.*

— Et vous ? » Elle lui serra la main.
Ses doigts étaient collants de chocolat.

« Bon, fit Walter.
— Comment ? demanda Genevieve Selsor.
— J'ai dit "Bon", fit Walter.
— Ah ! »

Il était neuf heures du soir. Ils avaient passé la journée en pique-nique, et, pour le souper, il avait préparé un filet mignon qu'elle n'avait pas aimé parce qu'il était trop saignant. Alors il l'avait remis au gril et elle l'avait trouvé trop cuit ou brûlé ou trop je ne sais quoi. Il se mit à rire et proposa : « On va aller voir un film. » Elle répondit « d'accord », et lui prit le coude de ses doigts enduits de chocolat. Mais le seul film qu'elle voulait voir était un Clark Gable vieux de cinquante ans. « Vous ne le trouvez pas complètement génial ? » Elle se trémoussait. « Alors, il n'est pas génial ? » C'était la fin du film. « Repassez-le ! » exigea-t-elle. « Encore ? » fit-il. « Encore », dit-elle. Et quand il revint, elle se pelotonna contre lui et lui colla ses pattes partout. « Tu n'es pas tout à fait ce que j'attendais, admit-elle, mais tu es sympa. » « Merci », dit-il en déglutissant. « Oh, ce Gable », dit-elle en lui pinçant la jambe. « Aïe », fit-il.

Après le film, ils allèrent faire les magasins dans les rues silencieuses. Elle brisa une vitrine et passa la robe la plus voyante qu'elle pût trouver. Puis elle se renversa un flacon de parfum sur les cheveux, ce qui la fit ressembler à un chien de berger mouillé. « Quel âge avez-vous ? » s'enquit-il. « Devine. » Toute dégoulinante, elle l'entraînait le long de la rue. « Oh, trente ans », lança-t-il. « Eh bien, je n'en ai que vingt sept, répondit-elle sèchement, alors tu vois ! »

---

6. **nice :** ⚠ *gentil, sympathique. Beau :* **handsome.**
7. **window :** ici, **shopwindow,** *vitrine.*
8. **hair :** nom singulier, *les cheveux, les poils.* Mais on trouve parfois le mot au pluriel. **To split hairs :** *couper les cheveux en quatre.*
9. **to inquire :** *s'enquérir, se renseigner, s'informer.* **An inquiry,** *une enquête, une demande de renseignements.* **The inquiries,** *le service des renseignements.*
10. **led :** de **to lead, led, led,** *mener, guider, conduire.* **Leader,** *chef, guide, dirigeant.* **Leadership,** *position dominante.*

"Here's another candy store !" she said. "Honest, I've led the life of Reilly[1] since everything exploded. I never liked my folks[2], they were fools. They left for Earth two months ago. I was supposed to follow on the last rocket, but I stayed on ; you know why ?"

"Why ?"

"Because everyone picked on[3] me. So I stayed where I could throw perfume on myself all day and drink ten thousand malts and eat candy without people saying, 'Oh, that's full of calories !' So here I *am* !"

"Here you are." Walter shut his eyes.

"It's getting late", she said[4], looking at him.

"Yes."

"I'm tired," she said.

"Funny. I'm wide awake."

"Oh," she said.

"I feel like staying up all night," he said. "Say, there's a good record at Mike's[5]. Come on, I'll play it for you."

"I'm tired." She glanced up at him with sly[6], bright eyes.

"I'm very alert[7]", he said. "Strange."

"Come back to the beauty shop," she said. "I want to show you something."

She took him in through the glass door and walked him over to a large[8] white box. "When I drove from Texas City," she said, "I brought this with me." She untied[9] the pink ribbon. "I thought : Well, here I am, the only lady[10] on Mars, and here is the only man, and, well..."

---

1. **the life of Reilly :** *une vie de bon vivant,* à la fois chanceux et privilégié.
2. **my folks :** *les miens, ma famille.* Folks, *gens, personnes.* Fam. : Hi, folks ! *salut tout le monde !* Country folks, *les campagnards.*
3. **to pick on (sbd) :** fam. : *énerver, agacer par des remarques, critiquer.*
4. **she said :** les guillemets ne sont pas en anglais un signe de ponctuation aussi fort qu'en français. Pour indiquer que quelqu'un a parlé, l'anglais ajoutera : **he said, he told...**
5. **at Mike's :** sous-entendu : **shop.** De la même façon, on dira : **at Dina's (house),** *chez Dina ;* **at the doctor's (office),** *chez le docteur.*

« Tiens, voilà une autre confiserie ! dit-elle. Sincèrement, j'ai mené une vie de reine depuis que tout a explosé. Je n'ai jamais aimé mon entourage. C'étaient des idiots. Ils sont partis pour la Terre il y a deux mois. J'étais supposée les suivre par la dernière fusée, mais je suis restée ; tu sais pourquoi ?

— Pourquoi ?

— Parce que tout le monde me faisait des remarques. Alors je suis restée là, comme ça je peux m'inonder de parfum toute la journée, boire dix mille verres de malt et manger des bonbons sans que quelqu'un me dise "Oh, c'est plein de calories !" Et voilà, je suis là !

— Vous êtes là. » Walter ferma les yeux.

« Il se fait tard, dit-elle en le regardant.

— Oui.

— Je suis fatiguée.

— C'est drôle. Je me sens parfaitement éveillé.

— Oh, dit-elle.

— Je resterais bien debout toute la nuit, déclara-t-il. Dites donc, il y a un excellent disque chez Mike. Venez, je vais vous le passer.

— Je suis fatiguée. »

Elle lui lança un regard coquin, les yeux brillants.

« Je me sens en pleine forme, dit-il. C'est bizarre.

— Reviens au salon de beauté, demanda-t-elle. Je veux te montrer quelque chose. »

Elle l'entraîna au salon par la porte vitrée et le mena à une grande boîte blanche. « Quand je suis venue de Texas City, dit-elle, j'ai pris ceci avec moi. » Elle défit le ruban rose. « Je me suis dit : voyons, je suis la seule femme sur Mars et lui, c'est le seul homme, et alors... »

---

6. **sly :** adj., *rusé, retors, malin, sournois.*
7. **alert :** 1) *vigilant, éveillé, alerte ;* 2) *actif, vif.* To be on the alert, *être sur le qui-vive.*
8. **large :** ▲ 1) *grand, gros ;* 2) *vaste, spacieux.* Wide : *large.*
9. **to untie, untied, untying :** *détacher, dénouer, délier* ≠ to tie. A tie, *une cravate.*
10. **lady :** 1) titre de noblesse (baronne, marquise, femme d'un lord, etc.) ; 2) employé comme nom commun, dénote une certaine déférence. **He met the lady yesterday,** *il a rencontré cette dame hier.* **Ladies and gentlemen,** *Mesdames et Messieurs.* ▲ **The ladies',** *toilettes pour femmes.*

She lifted the lid and folded back crisp layers of whispery pink tissue paper[1]. She gave it a pat[2]. "There."

Walter Gripp stared.

"What is it ?" he asked, beginning to tremble.

"Don't you know, silly ? It's all lace and all white and all fine and everything."

"No, I don't know what it is."

"It's a wedding[3] dress, silly !"

"Is it ?" His voice cracked.

He shut his eyes. Her voice was still soft and cool and sweet, as it had been on the phone. But when he opened his eyes and looked at her...

He backed up[4]. "How nice," he said.

"Isn't it ?"

"Genevieve." He glanced at the door.

"Yes !"

"Genevieve, I've something to tell you."

"Yes ?" She drifted toward him, the perfume smell thick about[5] her round white face.

"The thing I have to say to you is... » he said.

"Yes ?"

"Good-by !"

And he was out the door and into his car before she could scream.

She ran and stood on the curb[6] as he swung[7] the car about.

"Walter Griff, come back here !" she wailed[8], flinging[9] up her[10] arms.

"Gripp," he corrected her.

"Gripp !" she shouted.

The car whirled away down the silent street, regardless[11] of her stompings and shriekings.

---

1. **tissue paper :** lit. : *« papier tissu » ; tissé.* Tissues : *mouchoirs en papier.*
2. **a pat :** *une tape, un petit coup :* To pat, *tapoter.* L'anglais distingue, dans l'acte de taper, des nuances que le français ignore. To rap (avec les jointures), to slap (du plat de la main), to knock (index plié), to drum (du bout des doigts).
3. **wedding :** *mariage.* To wed, *se marier.*
4. **to back up :** 1) *reculer, aller à reculons ;* 2) *soutenir, appuyer, seconder.*
5. **the perfume smell thick about... :** m. à m. : *« l'odeur de parfum épaisse autour d'elle ».*

Elle ôta le couvercle et souleva les feuilles fragiles et bruissantes de papier de soie rose. « Voilà », dit-elle, en donnant une petite tape sur la boîte.

Walter Gripp ouvrait de grands yeux.

« Qu'est-ce que c'est ? demanda-t-il en se mettant à trembler.

— Tu vois pas, idiot ? C'est tout en dentelle, tout blanc, raffiné, tout ça.

— Non, je ne vois pas ce que c'est.

— Une robe de mariée, tiens, idiot !

— Ah bon ? » Sa voix se brisa. Il ferma les yeux. Elle avait toujours la même voix, suave et fraîche et caressante, comme au téléphone. Mais quand il ouvrit les yeux et la regarda...

Il se mit à reculer. « C'est très joli, dit-il.

— Oui, n'est-ce pas ?

— Genevieve. » Il lança un coup d'œil furtif vers la porte.

« Oui ?

— Genevieve, j'ai quelque chose à vous dire.

— Oui ? » Elle glissait vers lui son gros visage blanc noyé dans un épais relent de parfum.

« Ce que j'ai à vous dire, commença-t-il, c'est...

— Quoi ?

— Adieu ! »

Et il était déjà dehors, et dans sa voiture, avant qu'elle n'ait eu le temps de crier.

Elle se précipita sur le trottoir au moment où il virait en trombe, et se mit à pleurnicher en levant les bras au ciel : « Walter Griff, revenez !

— Gripp, corrigea-t-il.

— Gripp ! » hurla-t-elle.

La voiture partit à toute allure dans la rue silencieuse, indifférente à ses trépignements et à ses cris.

---

6. **curb :** US, *bord du trottoir ;* GB, **kerb.**
7. **swung :** de **to swing, swung, swung** : 1) (ici), *tourner, changer de direction* (brutalement) ; 2) *se balancer.* **A swing,** *une balançoire.*
8. **to wail :** *se lamenter, se plaindre d'un ton désolé.*
9. **flinging :** **to fling, flung, flung** : *lancer, projeter.*
10. **her :** notez l'emploi du possessif devant les noms des parties du corps ou de vêtements. **He stood with his hands in his pockets.**
11. **regardless of :** *sans tenir compte de.* ▲ **Regard,** *estime, respect.* **As regards,** *en ce qui concerne.* **Best regards** (à la fin d'une lettre), *salutations distinguées.*

The exhaust from it fluttered the white dress she crumpled[1] in her plump hands, and the stars shone bright, and the car vanished out onto the desert and away into[2] blackness.

He drove all night and all day for three nights and days. Once he thought he saw[3] a car following, and he broke into a shivering sweat and took another highway[4], cutting off across the lonely Martian world, past little dead cities, and he drove and drove for a week and a day, until he had put ten thousand miles between himself and Marlin Village. Then he pulled[5] into a small town named Holtville Springs, where there were some tiny stores he could light up[6] at night and restaurants to sit in[7], ordering meals. And he's lived there ever since[8], with two deep freezes packed[9] with food to last[10] him one hundred years, and enough cigars to last ten thousand days, and a good bed with a soft mattress.

And when once in a while[11] over the long years[12] the phone rings — he doesn't answer.

---

1. **to crumple :** *froisser, friper, bouchonner.*
2. **out onto, away into :** notez la précision imagée qu'apporte cette série de prépositions. **Out** indique une disparition lente à la vue ; **away** ajoute un aspect perfectif : disparition totale dans la nuit.
3. **he saw :** les verbes d'opinion sont suivis d'une f. conjuguée.
4. **highway :** US, *autoroute ;* GB, **motorway.**
5. **to pull :** *stopper.* **To pull up,** *se ranger ;* syn. : **to draw up.** **Holtville Springs** : lit. : *« les Sources de Holtville ».* **A spring,** *une source, une fontaine.* **Hot springs,** *eaux thermales.*
6. **to light (lit, lit** ou **lighted, lighted) up :** *allumer, éclairer.* ⚠ on dira : **lighted shops** et non **lit shops.**
7. **to sit in :** **in which to sit.** L'élision du relatif entraîne le rejet de la prép. en fin de phrase.

Les gaz d'échappement firent voltiger la robe blanche qu'elle chiffonnait dans ses mains grassouillettes. Les étoiles brillaient clair et la voiture s'évanouit au loin vers le désert et disparut dans l'obscurité.

Il conduisit sans s'arrêter pendant trois jours et trois nuits. Une fois, il crut voir une voiture qui le suivait. Saisi de sueurs froides, il prit une autre route, coupant à travers le paysage martien désolé, passant de petites cités mortes ; il ne cessa de conduire pendant une semaine et un jour, jusqu'à ce qu'il eût mis quinze mille kilomètres entre Marlin Village et lui. Alors il s'arrêta dans une petite ville, du nom de Holtville Springs, où il y avait quelques boutiques qu'il pouvait illuminer la nuit et des restaurants où il pouvait s'installer et commander ses repas.

Et il vit là depuis lors, avec deux énormes congélateurs bourrés de nourriture pour cent ans et assez de cigares pour dix mille jours, et un bon lit au matelas moelleux.

Et quand, une fois de temps en temps, au fil des longues années, le téléphone sonne... il ne répond pas.

---

8. **ever since :** lit. : *« toujours depuis » ; depuis lors.* Ever inclut le moment où le locuteur parle (today), d'où l'emploi du present perfect.
9. **to be packed :** *être entassé, bourré, bondé.* They packed into a taxi, *ils se sont entassés dans un taxi.*
10. **to last :** *durer.*
11. **once in a while :** *une fois de temps en temps, épisodiquement, à l'occasion.*
12. **over the years :** *au long des années.* Over exprime l'idée d'une durée accomplie en totalité. Cf. to stay over the week end, *rester pendant tout le week-end.*

Révisions

Vous avez rencontré dans la nouvelle que vous venez de lire l'équivalent des expressions françaises suivantes.
Vous en souvenez-vous ?

1. Il venait à la ville tous les quinze jours.
2. Cela datait d'une semaine.
3. Quelqu'un devrait répondre au téléphone.
4. Qu'est-ce qui me prend ?
5. Pour la première fois il réalisait que la ville était totalement morte.
6. Il n'y avait personne à l'autre bout de la ligne.
7. Il composa un numéro à New Chicago.
8. Pas de réponse. Il raccrocha.
9. Quand elle rentrera, dites-lui d'aller au diable.
10. La ligne était coupée.
11. Nous avons été coupés.
12. Nous nous sommes manqués pendant la journée.
13. Il consulta l'annuaire.
14. Tu n'es pas tout à fait ce que j'attendais.
15. Il se fait tard, dit-elle.
16. J'ai envie de veiller toute la nuit.
17. Il vit là depuis lors.

1. **He came to town every two weeks.**
2. **That was a week past.**
3. **Someone should answer the phone.**
4. **What's wrong with me ?**
5. **For the first time he realized how dead the town was.**
6. **There wasn't anyone on the other end of the line.**
7. **He dialled a number in New Chicago.**
8. **No answer. He hung up.**
9. **When she comes home tell her to go to hell.**
10. **The line was dead.**
11. **We were cut off.**
12. **We missed each other during the day.**
13. **He checked the directory.**
14. **You're not quite what I expected.**
15. **It's getting late, she said.**
16. **I feel like staying up all night.**
17. **He's lived here ever since.**

The Long Rain

La pluie

The rain continued. It was a hard rain, a perpetual rain, a sweating[1] and steaming[2] rain ; it was a mizzle[3], a downpour[4], a fountain, a whipping at the eyes, an undertow[5] at the ankles ; it was a rain to drown all rains and the memory of rains. It came by the pound and the ton, it hacked[6] at the jungle and cut the trees like scissors and shaved the grass and tunnelled the soil and moulted[7] the bushes. It shrank men's hands into the hands of wrinkled apes[8] ; it rained a solid[9] glassy rain, and it never stopped.

"How much farther[10], Lieutenant ?"

"I don't know. A mile, ten miles, a thousand."

"Aren't you sure ?"

"How can I be sure ?"

"I don't like this rain. If we only knew how far it is[11] to the Sun Dome, I'd feel better."

"Another hour or two from here."

"You really think so, Lieutenant[12] ?"

"Of course."

"Or are you lying[13] to keep us happy ?"

"I'm lying to keep you happy. Shut up !"

The two men sat together in the rain. Behind them sat two other men who were wet and tired and slumped like clay that was melting[14].

The lieutenant looked up. He had a face that once[15] had been brown and now the rain had washed it pale, and the rain had washed the colour from his eyes and they were white, as were his teeth, and as was his hair[16]. He was all white. Even his uniform was beginning to turn white[17], and perhaps a little green with fungus.

---

1. **to sweat, sweat, sweat :** ⚠ [swet] ; 1) *transpirer, suer ;* 2) *suinter.*
2. **to steam :** *émettre de la vapeur, de la buée, fumer.* Steaming hot, *brûlant.*
3. **mizzle :** aussi drizzle : *la bruine, le crachin.*
4. **downpour** ['daunpɔː] **:** *pluie battante, averse.* It's pouring, *il tombe des cordes.*
5. **undertow :** de to tow : *tirer, tracter.* On tow : *en remorque.*
6. **to hack :** *tailler, taillader.* To hack to pieces, *hacher menu. Une hache,* an axe.
7. **to moult :** *muer, perdre ses plumes, sa peau, ses poils.* Verbe intransitif employé transitivement par l'auteur.
8. **it shrank ... apes :** m. à m. : *« faisait rétrécir les mains des hommes en pattes de singes ridés ».* To shrink, shrank, shrunk : *rétrécir, faire rétrécir.* Unshrinkable, *irrétrécissable.* Wrinkles, *les rides.*

Il continuait de pleuvoir. C'était une pluie drue, incessante, qui suintait et fumait, un crachin. C'était un déluge, un jaillissement d'eau qui vous fouettait les yeux et vous entravait les chevilles. C'était une pluie à noyer toutes les pluies antérieures et jusqu'à leur souvenir. Il en tombait des seaux, des tonnes, qui hachaient la jungle et cisaillaient les arbres, rasaient l'herbe, ravinaient le sol et dénudaient les buissons. L'eau ridait les mains des hommes en pattes de singe rabougries. C'était une pluie compacte et vitreuse qui tombait sans fin.

« C'est encore loin, mon lieutenant ?

— Je n'en sais rien. Un kilomètre, ou dix, ou mille.

— Comment, vous ne le savez pas ?

— Comment le saurais-je ?

— Je n'aime pas cette pluie. Si seulement nous savions à quelle distance se trouve le dôme solaire, je me sentirais plus à l'aise.

— C'est encore à une heure ou deux.

— Vous le croyez vraiment, mon lieutenant ?

— Bien sûr.

— Vous ne nous mentez pas pour nous donner du courage ?

— Si, je vous mens pour vous donner du courage. Bouclez-la ! »

Les deux hommes étaient assis côte à côte, sous la pluie. Derrière eux, deux compagnons, mouillés, fatigués, étaient avachis comme de la glaise détrempée.

Le lieutenant redressa la tête. Son visage, naguère bronzé, avait été délavé par la pluie. Ses yeux paraissaient blancs, décolorés par l'eau, comme ses dents et ses cheveux. Tout en lui était blanc maintenant. Même son uniforme, qui semblait prendre une teinte légèrement verdâtre, comme de moisi.

---

9. **solid :** ▲ *compact, dense, épais.* **A solid English rain,** *une pluie bien anglaise, ininterrompue.*
10. **how much farther :** m. à m. : *« combien plus loin, quelle distance encore ? »*
11. **it is :** un puriste emploierait la concordance des temps avec le verbe de la principale : **it was.**
12. **lieutenant :** US [lu:'tenənt] ; GB [lef'tenənt].
13. **lying :** de to lie : *mentir. Un mensonge,* **a lie.**
14. **that was melting :** m. à m. : *« qui était en train de fondre ».*
15. **once** [wʌns] **:** (ici) *autrefois.* **Once upon a time :** *il était une fois.*
16. **as was his hair :** l'inversion est normale après as *(comme, de même que)* lorsque le verbe est un simple auxiliaire.
17. **to turn** + adj. **:** *devenir* + adj. On évitera autant que possible de traduire **turn : to turn old,** *vieillir ;* **to turn white,** *blanchir.*

The lieutenant felt the rain on his cheeks. "How many million years since the rain stopped raining here on Venus[1] ?"

"Don't be crazy," said one of the two other men. "It never stops raining on Venus. It just goes on and on[2]. I've lived here for ten years and I never saw a minute, or even a second, when it wasn't pouring."

"It's like living under water," said the lieutenant, and rose up, shrugging his guns into place. Well, we'd better get going. We'll find that Sun Dome yet[3]."

"Or we won't find it," said the cynic.

"It's an hour or so."

"Now you're lying to me, Lieutenant."

"No, now I'm lying to myself. This is one of those times when you've got to lie. I can't take much more of this.

They walked down the jungle trail, now and then looking at their compasses. There was no direction anywhere, only what the compass said[4]. There was a grey sky and rain falling and jungle and a path, and, far back behind them somewhere, a rocket in which they had ridden[5] and fallen. A rocket in which lay two of their friends, dead and dripping rain[6].

They walked in single[7] file, not speaking. They came to a river which lay wide and flat and brown, flowing down to the great[8] Single Sea. The surface of it was stippled in a billion places by the rain.

"All right, Simmons."

The lieutenant nodded and Simmons took a small packet from his back which, with a pressure of hidden chemical, inflated[9] into a large boat.

---

1. **how many ... Venus ? :** la phrase est elliptique : how many years have passed since... Stopped : prétérit obligatoire après since qui introduit un fait ponctuel et révolu du passé.
2. **it goes on and on :** m. à m. : *« elle continue et continue ».* C'est la postposition qui est répétée car elle porte le sens du verbe.
3. **yet :** peut être employé dans une phrase affirmative dont il accentue l'affirmation : *on va bien la trouver.*
4. **only what the compass said :** m. à m. : *« seulement ce que la boussole indiquait ».*

Le lieutenant sentait ses joues ruisseler. « Combien de millions d'années y a-t-il eu depuis qu'il a cessé de pleuvoir, ici, sur Vénus ?

— Ne soyez pas stupide, dit l'un des deux hommes. La pluie ne cesse jamais, sur Vénus. Elle tombe, encore et toujours. J'ai vécu dix ans ici et pas une minute, pas une seconde, il n'a arrêté de tomber des cordes.

— C'est comme si on vivait sous l'eau. » Le lieutenant se leva et rajusta ses revolvers. « Bon, on ferait mieux d'y aller maintenant. On va bien le trouver, ce dôme.

— Ou pas du tout, fit l'autre, cynique.

— C'est à une heure, à peu près.

— Là, vous me mentez, mon lieutenant.

— Non, là c'est à moi que je mens. Il y a des moments où il faut se mentir. Je commence à ne plus pouvoir supporter tout ça. »

Ils avançaient sur une piste, dans la jungle, jetant parfois un coup d'œil à leurs compas. Ils n'avaient aucun point de repère, ils marchaient au cap. Il n'y avait qu'un ciel gris, qui crevait, un sentier dans le maquis et loin derrière, quelque part, une fusée dans laquelle ils étaient venus et s'étaient écrasés au sol. Une fusée où gisaient les dépouilles gonflées d'eau de deux de leurs camarades.

Ils marchaient en file indienne, sans un mot. Ils arrivèrent au bord d'un fleuve brun, large et plat, qui descendait vers la mer Unique. La surface en était grêlée d'un milliard d'éclaboussures.

« A vous, Simmons », fit le lieutenant avec un signe de tête. Simmons décrocha de son dos un petit paquet, qui, par injection d'une substance chimique, se gonfla automatiquement en un grand canot.

---

5. **ridden :** de to ride, rode, ridden : *emprunter un moyen de locomotion.* Ici : *voyager.*
6. **dead and dripping rain :** m. à m. : *« morts et dégoulinants de pluie ».*
7. **single :** *unique.* A single child : *un enfant unique.*
8. **great :** *grand, énorme, considérable.* Le mot comporte souvent une nuance affective.
9. **to inflate :** *(se) gonfler.* Into marque ici le passage d'un état à un autre. Inflatable : *gonflable.*

The lieutenant directed the cutting of wood and the quick making of paddles and they set out into the river, paddling swiftly across[1] the smooth[2] surface in the rain.

The lieutenant felt the cold rain on his cheeks and on his neck and on his moving arms. The cold was beginning to seep[3] into his lungs. He felt the rain on his ears, on his eyes, on his legs.

"I didn't sleep last night[4]," he said.

"Who could ? Who has ? When ?[5] How many nights *have* we slept ? Thirty nights, thirty days ! Who can sleep with rain slamming their[6] head, banging away... I'd give anything for a hat. Anything at all, just so[7] it wouldn't hit my head any more. I get headaches[8]. My head is sore ; it hurts all the time."

"I'm sorry[9] I came to China," said one of the others.

"First time I ever heard Venus called China."

"Sure, China. Chinese, water cure. Remember the old torture ? Rope you[10] against a wall. Drop one drop of water on your head every half-hour. You go crazy waiting for the next one. Well, that's Venus, but on a big scale. We're not made for water. You can't sleep, you can't breathe right, and you're crazy from[11] just being soggy. If we'd been ready for a crash, we'd have brought water-proofed[12] uniforms and hats[13]. It's this beating rain on your head gets you[14], most of all. It's so heavy[15]. It's like BB shot[16]. I don't know how long I can take it."

"Boy, me for the Sun Dome ! The man who thought *them* up, thought of something."

---

1. **across :** *à travers, d'un bord à l'autre.* ▲ *Au travers :* through.
2. **smooth :** [smu:ð] : *lisse, calme, au repos, étale.*
3. **to seep :** ▲ pron. [i: long]. To sip [i court] : *siroter.*
4. **last night :** *la nuit dernière.* ▲ *Cette nuit* (à venir) : tonight.
5. **who ... when ? :** série de questions elliptiques ; who could sleep ? who has slept ? when did we sleep ?
6. **their :** who, qui régit un verbe au sing., est souvent repris, comme ici, par un pluriel : their.
7. **just so :** so that : *pour que, afin que.*
8. **headaches** ['hedeɪks] : *des maux de tête.* Ache, *mal, douleur.* Même formation : toothache, backache.
9. **I'm sorry :** ▲ + groupe verbal et non « I'm sorry to ». Ex. : I'm sorry I'm late : *je suis désolé,* (je regrette) *d'être en retard.*
10. **rope you :** they rope you. They : indéfini : *on.*

Le lieutenant supervisa la coupe de quelques branches et la fabrication rapide de pagaies. Puis ils s'engagèrent sur l'eau calme en ramant vivement sous la pluie.

Le lieutenant sentait les gouttes glacées dégouliner le long de ses joues, dans son cou, sur ses bras en mouvement. Le froid commençait à s'insinuer dans ses poumons. L'eau coulait dans ses oreilles, dans ses yeux, le long de ses jambes.

« Je n'ai pas dormi de la nuit, dit-il.

— Et nous ? Qui a pu dormir ? Quand ? Combien de fois jusqu'à présent ? Trente nuits, trente jours ! Qui pourrait dormir avec cette pluie qui vous cingle la tête en tambourinant sans fin... Je donnerais n'importe quoi contre un chapeau. N'importe quoi, juste pour que ça ne me frappe plus le crâne. J'ai des migraines, j'ai la tête douloureuse, j'ai mal sans arrêt.

— Moi, je regrette d'être venu en Chine, dit l'un d'eux.

— Tiens, c'est la première fois que j'entends quelqu'un appeler Vénus la Chine.

— Ben oui, la Chine. La médecine chinoise par l'eau. Tu ne te souviens pas, le supplice chinois ? On t'attache contre un mur. On te fait tomber une goutte d'eau sur la tête toutes les demi-heures et tu deviens fou à force d'attendre la goutte suivante. Vénus, c'est ça, mais à grande échelle. On n'est pas faits pour l'eau. On ne peut pas dormir, on ne peut pas respirer comme il faut et on devient dingues à être trempés comme ça. Si on avait pensé à l'accident, on aurait prévu des uniformes et des cagoules étanches. C'est surtout ce martèlement sur le crâne qui te démolit. C'est tellement violent. Comme si on te mitraillait la tête. Je ne sais pas combien de temps je vais pouvoir endurer ça.

— Mon vieux, vive le dôme solaire ! Le type qui a imaginé ça a vraiment fait une belle invention. »

---

11. **from :** prép., a ici un sens causal ; m. à m. : *« du fait d'être saturés d'eau ».* Cf. : **he suffers from headaches :** *il souffre de maux de tête.*
12. **waterproofed :** de **to waterproof** : *imperméabiliser.* **Proof :** adj. *(résistant à, à l'épreuve de)*, sert à former toute une série d'adj. composés : **bulletproof, colourproof, leakproof** *(qui ne fuit pas)*, etc.
13. **hats :** la banalité du terme dénote le refus de l'auteur d'employer des mots techniques. D'où la traduction.
14. **gets you :** incorrect pour : **that gets you. Get** a ici le sens familier de *détruire, démolir.* Cf. **I got him,** *je l'ai eu !*
15. **heavy :** ⚠ (ici) : *intense.* **A heavy blow** : *un coup violent.*
16. **it's like BB shot :** m. à m. : *« comme le tir d'un pistolet à air comprimé ».* BB est une marque connue aux USA.

They crossed the river, and in crossing they thought of the Sun Dome, somewhere ahead of them, shining in the jungle rain. A yellow house, round and bright as the sun. A house fifteen feet high by one hundred feet in diameter, in which was warmth and quiet and hot food and freedom from rain. And in the centre of the Sun Dome, of course, was a sun. A small floating free globe of yellow fire, drifting in a space at the top of the building where you could look at it from where you sat, smoking or reading a book or drinking your hot chocolate crowned with marshmallow dollops[1]. There it would be, the yellow sun, just the size of the Earth sun, and it was warm and continuous, and the rain world of Venus would be forgotten as long as they stayed in that house and idled their time.

The lieutenant turned and looked back at the three men using their oars and gritting their teeth. They were as white as mushroom, as white as he was. Venus bleached everything away in a few months. Even the jungle was an immense cartoon[2] nightmare, for how could the jungle be green with no sun, with always rain falling and always dusk[3] ? The white, white jungle with the pale cheese-coloured leaves, and the earth carved of[4] wet Camembert, and the tree boles like immense toadstools[5]. Everything black and white. And how often could you see the soil itself ? Wasn't it mostly a creek, a stream, a puddle, a pool, a lake, a river[6], and then, at last, the sea ?

"Here we are !"

They leaped out on the farther[7] shore, splashing and sending up showers. The boat was deflated and stored in a cigarette packet[8].

---

1. **dollop :** *masse molle et sans forme.* He put a dollop of butter on his steak : *il mit un morceau de beurre sur son steak.* Marshmallow dollops : pâte de guimauve coupée en petits cubes, que les enfant américains trempent volontiers dans leur bol de chocolat.
2. **cartoon :** 1) *caricature ;* 2) *bande dessinée ;* 3) *dessin animé.* L'auteur évoque ici les premiers dessins de science-fiction en noir et blanc, des années 50, dont il était friand étant enfant.
3. **dusk :** *obscurité, demi-jour, crépuscule.*

Ils traversaient la rivière et songeaient au dôme quelque part devant eux, illuminant la jungle humide. C'était un bâtiment jaune aussi rond et brillant que le soleil, de quatre mètres de haut par trente mètres de diamètre, accueillant et paisible, où l'on pouvait manger chaud et oublier la pluie. Et bien sûr, en son centre il y avait un soleil. Un petit globe de feu jaune vif, flottant librement dans un espace pratiqué dans le plafond ; on pouvait le regarder de son siège, en fumant ou en lisant, ou en buvant un chocolat brûlant couronné d'une poignée de marshmallows. Oui, il serait là l'éclatant soleil, gros comme l'astre terrestre, avec sa chaleur constante et tant qu'ils resteraient là, dans le dôme, à paresser, ils pourraient oublier le monde trempé de Vénus.

Le lieutenant se retourna pour observer les trois hommes qui pagayaient en serrant les dents. Ils étaient couleur de champignon, aussi blancs que lui. Vénus décolorait tout en quelques mois. La jungle elle-même était un immense dessin au crayon, cauchemardesque, et comment, en effet, aurait-elle pu verdir, sans soleil, dans cette pluie et cette pénombre permanentes ? La jungle blanche, blanche avec ses feuilles pâles couleur de fromage, la terre sculptée dans du camembert mou, les troncs des arbres comme de gigantesques champignons vénéneux. Tout en noir et blanc. Voyait-on même le sol ? N'était-ce pas surtout un ruisseau, une rivière, une flaque d'eau, une mare, un lac, un fleuve et enfin, la mer ?

« On y est ! »

Ils sautèrent sur la rive opposée en s'éclaboussant de geysers d'eau, dégonflèrent le canot et le replièrent en un paquet minuscule.

---

4. **of :** syn. **out of.** Cf. **made of wood,** *fait en bois.*
5. **toadstools :** m. à m. : *« des tabourets pour crapauds ».* Nom imagé d'un champignon vénéneux (amanite).
6. **river :** river comme **stream** n'ont pas de sens aussi définis que les mots français fleuve et rivière. **A river** peut aussi bien être *un cours d'eau, une rivière* ou *un fleuve,* voire *un ruisseau.*
7. **farther :** l'anglais pense en termes de comparaison, le rivage opposé étant plus éloigné.
8. **the boat ... packet :** m. à m. : *« le bateau fut dégonflé et rangé dans un étui à cigarettes ».*

Then, standing on the rainy shore, they tried to light up a few smokes for themselves[1], and[2] it was five minutes or so before, shuddering, they worked the inverted lighter and, cupping their hands[3], managed a few drags[4] upon cigarettes that all too quickly were limp[5] and beaten away from their lips by a sudden slap of rain.

They walked on.

"Wait just a moment," said the lieutenant. "I thought I saw something ahead."

"The Sun Dome ?"

"I'm not sure. The rain closed in again."

Simmons began to run. "The Sun Dome !"

"Come back, Simmons !"

"The Sun Dome !"

Simmons vanished in the rain. The others ran after him.

They found him in a little clearing, and they stopped and looked at him and what he had discovered.

The rocket ship[6].

It was lying where they had left it. Somehow[7] they had circled back and were where they had started. In the ruin of the ship green fungus[8] was growing up out of the mouths of the two dead[9] men. As they watched, the fungus took flower, the petals broke away in the rain, and the fungus died[10].

"How did we do it ?"

"An electrical storm must be nearby. Threw our compasses off. That explains it."

"You're right."

"What'll we do now[11] ?"

---

1. **they tried ... themselves :** m. à m. : *« ils tentèrent de s'allumer quelques cigarettes ».* A smoke : fam. : *une bouffée, une cigarette.*
2. **and :** traduit par *mais* pour rendre l'idée de difficulté suggérée par tried, que nous n'avions pas traduit.
3. **cupping their hands :** m. à m. : *« formant une coupe avec leurs mains ».*
4. **drags :** de to drag : *tirer avec effort, traîner.*
5. **limp :** *mou, flasque, sans consistance.*
6. **rocket ship :** *vaisseau spatial.* Le mot ship désigne aussi bien un transport aérien que maritime.

Alors ils eurent envie de s'offrir une cigarette, mais il leur fallut bien cinq minutes, debout sur le rivage détrempé, frissonnants, avant de parvenir à faire fonctionner leur briquet. Ils ne purent tirer que quelques bouffées de leurs cigarettes, même en les protégeant de leurs paumes, car de soudaines rafales les ramollissaient tout de suite et les arrachaient de leurs lèvres.

Ils se remirent en route.

« Attendez ! » s'écria le lieutenant. « Il m'a semblé voir quelque chose devant nous.

— Le dôme ?

— Je n'en suis pas sûr. Le rideau de pluie s'est refermé. »

Simmons se mit à courir. « Le dôme solaire !

« Simmons, revenez !

— Le dôme solaire ! »

Simmons s'évanouit dans la pluie. Les autres se lancèrent à sa poursuite.

Ils le rattrapèrent dans une petite clairière et s'arrêtèrent pour voir ce qu'il avait découvert.

La fusée.

Elle gisait là où ils l'avaient laissée. Pour une raison inconnue, ils avaient tourné en rond et étaient revenus à leur point de départ. Dans les débris du vaisseau, des moisissures vertes étaient en train de pousser dans la bouche des deux morts. Soudain, sous leurs yeux, elles se mirent à fleurir, la pluie hacha les pétales et les algues moururent.

« Comment avons-nous fait ?

— Il doit y avoir un orage magnétique dans les parages. Il aura déréglé nos compas. C'est l'explication.

— Vous avez raison.

— Qu'allons-nous faire maintenant ?

---

7. **somehow :** *de quelque manière, d'une manière ou d'une autre.* Ne pas confondre avec **somewhat,** *quelque peu.*
8. **fungus :** mot générique suivi du sing. : *mousses, moisissures, champignons.*
9. **dead :** adj. : *mort. Les morts :* **the dead** ; *la mort :* **death.**
10. **died :** de to die : *mourir. Il est mort :* **he's dead,** mais : *il est mort hier,* **he died yesterday.**
11. **what'll we do :** what will we do ? s'ils se demandent ce qu'ils vont faire. **What shall we do ?** s'ils demandent ce qu'ils doivent faire. **Shall** n'est d'ordinaire pas contracté.

"Start out again."

"Good lord, we're not any closer[1] to anywhere !"

"Let's try to keep calm about it, Simmons."

"Calm, calm[2] ! This rain's driving me wild[3] !"

"We've enough food for another two days if we're careful."

The rain danced on their skin, on their wet uniforms ; the rain streamed from their noses and ears, from their fingers and knees. They looked like stone fountains frozen[4] in the jungle, issuing forth[5] water from every pore.

And, as they stood, from a distance they heard a roar[6].

And the monster came out of the rain.

The monster was supported upon[7] a thousand electric blue legs. It walked swiftly and terribly. It struck down a leg[8] with a driving[9] blow. Everywhere a leg struck[10] a tree fell and burned. Great whiffs of ozone filled the rainy air, and smoke blew away and was broken up by the rain. The monster was a half[11] mile wide and a mile high and it felt[12] the ground like a great blind thing. Sometimes, for a moment, it had no legs at all. And then, in an instant, a thousand whips would fall out of its belly, white-blue whips, to sting the jungle.

"There's the electrical storm," said one of the men. "There's the thing ruined[13] our compasses. And it's coming this way."

"Lie down, everyone," said the lieutenant.

"Run !" cried Simmons.

"Don't be a fool. Lie down. It hits the highest points. We may get through unhurt[14]. Lie down about fifty feet from the rocket. It may very well spend its force there and leave us be[15]. Get down !"

---

1. **any closer :** any (adv.), placé devant un comparatif dans une phrase négative, a une valeur emphatique. Ex. : he's not any better for that, *il n'en est pas mieux pour autant.*
2. **calm :** ⚠ pron. : [ka:m], comme dans palm, balm.
3. **to drive sbd wild :** *rendre qqn fou.* Wild : 1) *fou, insensé ;* 2) *furieux ;* 3) *sauvage.*
4. **frozen :** de to freeze, froze, frozen : *geler, congeler, réfrigérer.*
5. **to issue** ['iʃu:, 'isju:] **(forth, out) :** 1) *émettre, lancer ;* 2) *mettre en circulation, publier.*
6. **a roar :** *un rugissement, un mugissement.* Fig. : a roar of laughter, *un hurlement de rire.*
7. **was supported upon :** m. à m. : *« était appuyé sur ».*

— Repartir.
— Seigneur, nous n'avons pas avancé d'un pas !
— Tâchons de rester calmes, Simmons !
— Rester calme, rester calme ! Cette pluie me rend fou !
— Si nous faisons attention, nous avons encore assez de nourriture pour deux jours. »

L'eau dansait sur leur peau, sur leurs uniformes trempés ; elle dégoulinait de leur nez, de leurs oreilles, le long de leurs doigts et de leurs genoux. Ils avaient l'air de fontaines ruisselantes, pétrifiés de froid, en pleine jungle, exsudant l'eau par tous leurs pores.

Et comme ils se tenaient là, ils entendirent un mugissement au loin.

Le monstre sortit de la pluie.

Il s'avançait, rapide et terrifiant, sur un millier de pattes électriques bleues.

Chaque patte qu'il lançait dans un coup formidable abattait un arbre et le carbonisait. De grandes bouffées d'ozone emplissaient l'air. Des fumées s'élevaient, que la pluie rabattait aussitôt. Le monstre mesurait huit cents mètres de large et seize cents mètres de haut et il sondait le sol comme une grosse bête aveugle. Parfois, pour un instant, on ne voyait plus ses pattes. L'instant d'après, mille fouets blancs et bleus s'échappaient de son ventre et cinglaient la jungle.

« C'est l'orage magnétique », dit l'un des hommes. « C'est lui qui a déréglé nos compas. Il vient sur nous.
— Couchez-vous tous ! cria le lieutenant.
— Fuyez ! cria Simmons.
— Ne faites pas l'idiot ! Couchez-vous. Il frappe les points les plus élevés. On peut s'en tirer indemnes. Éloignez-vous d'une cinquantaine de mètres de la fusée. Il se peut très bien que l'orage s'y concentre et nous épargne. A plat ventre ! »

---

8. **it struck down a leg :** m. à m. : *« il abattait une patte ».*
9. **driving :** *violent, énergique.* De **to drive** : *enfoncer, ficher, pousser* (violemment). **To drive a blow,** *envoyer un coup, cogner ;* **to drive in a nail,** *enfoncer un clou.*
10. **everywhere a leg struck :** m. à m. : *« partout où une patte frappait ».*
11. **a half :** *un (une) demi.* ⚠ *Une demi-heure :* **half an hour.**
12. **felt :** **to feel,** transitif : *toucher, tâter, palper.*
13. **the thing ruined :** incorrect pour : **the thing that ruined.**
14. **unhurt :** *sain et sauf, sans mal, indemne.*
15. **to leave sbd be :** syn. : **to leave (let) sbd alone** : *laisser qqn tranquille.*

The men flopped[1].

"Is it coming ?" they asked each other, after a moment.

"Coming."

"Is it nearer ?"

"Two hundred yards off."

"Nearer ?"

"Here she[2] is !"

The monster came and stood over them. It dropped down ten blue bolts of lightning[3] which struck the rocket. The rocket flashed like a beaten gong and gave off a metal ringing[4]. The monster let down fifteen more bolts which danced about[5] in a ridiculous pantomime, feeling the jungle and the watery soil.

"No, no !" One of the men jumped up.

"Get down you fool !" said the lieutenant.

"No !"

The lightning struck the rocket another[6] dozen times. The lieutenant turned his head on his arm[7] and saw the blue blazing[8] flashes. He saw trees split[9] and crumple[10] into ruin. He saw the monstrous dark cloud turn like a black disc overhead and hurl[11] down a hundred other poles of electricity.

The man who had leaped up was now running, like someone in a great hall of pillars. He ran and dodged[12] between the pillars and then at last a dozen of the pillars slammed down and there was the sound a fly makes when landing upon the grill wires of an exterminator. The lieutenant remembered this from his childhood on a farm[13]. And there was a smell of a man burned to a cinder[14].

---

1. **to flop :** 1) *faire floc ;* 2) *tomber mollement, lourdement, s'affaler.* Fig. : *faire un bide, échouer.*
2. **she :** personnification de l'orage. En règle générale, la pronomisation par she répond à un investissement affectif du locuteur. Ex. : look at my new car, isn't she lovely ? *regarde ma nouvelle voiture, n'est-elle pas superbe ?*
3. **bolts of lightning :** *les éclairs.* Aussi : a flash of lightning. Lightning, *la foudre.*
4. **gave off a metal ringing :** m. à m. : *« émit un tintement métallique. »*
5. **which danced about :** m. à m. : *« qui dansèrent alentour ».*
6. **another :** sing. L'accord se fait ici avec dozen et non avec times.

Les hommes se laissèrent tomber à terre.
Au bout d'un moment, ils se questionnèrent l'un l'autre :
« Est-ce qu'il arrive ?
— Il arrive.
— Il se rapproche ?
— Deux cents mètres.
— Et maintenant ?
— Le voilà ! »
Le monstre était au-dessus d'eux.
Il lâcha dix éclairs bleus sur la fusée qui se mit à jeter des étincelles et à résonner comme un gong. Puis quinze encore qui vinrent palper la jungle et le sol humide en une ridicule pantomime.
« Non, non ! » L'un des hommes se leva d'un bond.
« A terre, imbécile ! s'écria le lieutenant.
— Non ! »
La foudre frappa encore la fusée une douzaine de fois. Le lieutenant jeta un coup d'œil par-dessus son bras et aperçut les éclairs bleus aveuglants. Il vit des arbres se fendre et tomber foudroyés, il vit le monstrueux nuage noir tourbillonner comme un disque au-dessus de leurs têtes et décocher encore une centaine de piques électriques.
L'homme qui avait bondi courait maintenant en zigzag dans un dédale de piliers qu'il essayait d'éviter, jusqu'à ce qu'enfin une douzaine de colonnes s'écrasent sur lui ; on entendit un grésillement de mouche qui se pose sur la résistance d'un piège électrique. C'était un souvenir que le lieutenant gardait de son enfance dans une ferme. Il y eut une odeur de chair carbonisée.

---

7. **turned ... arm :** m. à m. : *« fit tourner sa tête sur son bras ».*
8. **to blaze:** *flamboyer, resplendir.*
9. **split :** infinitif sans to après **to see. To split :** *fendre, déliter, fragmenter en éclats.* **A split,** *une fente.*
10. **crumple :** *s'effondrer, s'écraser, se recroqueviller.*
11. **to hurl :** *lancer avec violence, précipiter.*
12. **to dodge :** *éviter, esquiver, éluder* (une question). **Tax-dodger :** *personne qui fraude le fisc.* **Draft-dodger :** *qui refuse la conscription.*
13. **on a farm :** notez la préposition.
14. **burned to a cinder :** m. à m. : *« réduit à un morceau de charbon ».* Notez la forme US, **burned,** GB, **burnt.** *Les cendres :* the cinders.

The lieutenant lowered his dead. "Don't look up," he told the others. He was afraid[1] that he too might run at any moment.

The storm above them flashed down another series[2] of bolts and then moved on away. Once again there was only the rain, which rapidly cleared the air of the charred[3] smell, and in a moment[4] the three remaining men were sitting and waiting for the beat of their hearts to subside into quiet[5] once more.

They walked over to the body, thinking that perhaps they could still save the man's life. They couldn't believe that there wasn't some way to help the man. It was the natural act of men who have not accepted death until[6] they have touched it and turned it over and made plans to bury it or leave it[7] there for the jungle to bury in an hour of quick growth.

The body was twisted steel, wrapped[8] in burned leather. It looked like a wax dummy[9] that had been thrown into an incinerator and pulled out after the wax had sunk to the charcoal skeleton[10]. Only the teeth were white, and they shone like a strange white bracelet dropped half through[11] a clenched black fist.

"He shouldn't have jumped up." They said it almost at the same time.

Even as[12] they stood over the body it began to vanish, for the vegetation was edging in upon it, little vines[13] and ivy and creepers, and even flowers for the dead.

At a distance the storm walked off on blue bolts of lightning and was gone.

They crossed a river and a creek and a stream and a dozen other rivers and creeks and streams.

---

1. **he was afraid he might :** expression de la crainte, avec idée de futur. Cf. I'm afraid he may fail, *je crains qu'il n'échoue.*
2. **a series :** singulier, *une série.*
3. **to char :** *carboniser, réduire en charbon, charbonner.* Charcoal, *le charbon de bois.*
4. **in a moment :** syn. : a moment later, *l'instant d'après.*
5. **quiet :** substantif : *tranquillité, repos, quiétude.* Syn. : quietness.
6. **until :** ⚠ notez que c'est not until et non « not before » qu'on emploie pour traduire l'indication de temps : *pas avant.* Ex. : come before eight, *viens avant huit heures ;* don't come until eight, *ne viens pas avant huit heures.*

Le lieutenant baissa la tête. « Ne regardez pas », dit-il aux autres. Il avait peur d'être pris d'envie de courir, lui aussi, tout d'un coup.

L'orage, au-dessus d'eux, lança une dernière série d'éclairs et s'éloigna. Il n'y eut plus, de nouveau, que la pluie qui débarrassa rapidement l'air de l'odeur de grillé. Les trois rescapés se redressèrent et s'assirent, laissant se calmer les battements de leur cœur.

Ils s'approchèrent du corps, espérant encore le ramener à la vie. Ils ne pouvaient pas croire qu'il n'y eût plus rien à faire. C'était le geste naturel d'hommes qui n'acceptaient pas la mort tant qu'ils n'avaient pas touché, retourné la victime et décidé de l'enterrer ou de laisser la jungle l'ensevelir sous sa croissance rapide.

Le corps semblait du métal tordu dans du cuir brûlé. On aurait dit un mannequin de cire sorti d'un incinérateur, carbonisé, fondu, réduit à un squelette charbonneux. Les dents seules étaient blanches. Elles brillaient comme un bracelet bizarre, pendant d'un poing serré et noirci.

« Il n'aurait pas dû se relever. » Ils parlèrent presque en même temps.

Et comme ils restaient là, penchés sur le cadavre, ils le virent disparaître sous la végétation : de petites lianes, des feuilles de lierre, des plantes grimpantes se refermaient rapidement sur lui. Il y avait même des fleurs pour le mort.

Au loin l'orage s'éloignait sur ses piliers bleus. Il disparut.

Ils traversèrent une rivière, un ruisseau, puis un fleuve et bien dix fois encore, fleuve et ruisseau et rivière.

---

7. **it :** death, *la mort,* est considérée ici comme une entité asexuée et inanimée. Personnifiée d'ordinaire au masculin : Death when he comes, *lorsque viendra la mort.*
8. **wrapped** [ræpt] **:** to wrap, *emballer, envelopper.* Wrapping-paper : *papier d'emballage.*
9. **dummy :** *mannequin, poupée, figure de cire* (wax).
10. **after the wax ... skeleton :** m. à m. : *« après que la cire se fut résorbée jusqu'au squelette de charbon de bois ».*
11. **half through :** *à mi-chemin, mi-parcours.* Half through his speech : *au milieu de son discours.*
12. **even as :** even (même) renforce la conjonction as qui marque la simultanéité : *au moment même où.*
13. **vines :** (ici) US : *plantes grimpantes* ou *rampantes.* Vineyard, *les vignes, le vignoble.*

Before their eyes rivers appeared, rushing, new rivers, while old rivers changed their courses — rivers the colour of mercury, rivers the colour of silver and milk.

They came to the sea.

The Single Sea. There was only one continent on Venus[1]. This land was three thousand miles long by a thousand[2] miles wide, and about[3] this island was the Single Sea, which covered the entire raining planet. The Single Sea, which lay upon the pallid shore with little[4] motion...

"This way." The lieutenant nodded south. "I'm sure there are two Sun Domes down that way."

"While they were at it, why didn't they build a hundred more ?"

"There're a hundred and twenty of them now, aren't there ?"

"One hundred and twenty-six, as of[5] last month. They tried to push a bill through Congress back on Earth a year ago to provide for[6] a couple dozen[7] more, but oh no, you know how *that* is. They'd rather a few men went[8] crazy with the rain."

They started south.

The lieutenant and Simmons and the third man, Pickard, walked in the rain, in the rain that fell heavily and lightly, heavily and lightly ; in the rain[9] that poured and hammered and did not stop falling upon the land and the sea and the walking people.

Simmons saw it first. "There it is !"

"There's what ?"

"The Sun Dome !"

---

1. **Venus :** [ˈviːnəs].
2. **a thousand :** ⚠ employés au singulier, thousand, hundred ou million sont toujours précédés de a ou one.
3. **about :** (ici) *autour* et non *au sujet de.*
4. **little :** ⚠ *peu de* et non pas *un petit peu.* Cf. a man of little courage, *un homme de peu de courage.* Motion : *le mouvement.*
5. **as of** + date : *à la date du, à partir de.* It takes effect as of Monday, *cela prend effet à compter de lundi.*
6. **to provide for :** *subvenir à, pourvoir à, prévoir.* To provide for oneself, *se suffire à soi-même.*
7. **a couple dozen :** m. à m. : *« une paire de douzaines ».* ⚠ a couple : 1) *une paire, deux* (de même sexe). In a couple of hours, *dans deux heures ;* 2) *un couple* (un ménage), (a married, a young) couple.

Sous leurs yeux naissaient, impétueux, de nouveaux courants tandis que les anciens changeaient de lit, rivières couleur de mercure, rivières couleur d'argent ou de lait. Ils arrivèrent à la mer.

La mer Unique. Il n'y avait qu'un continent sur Vénus. Une île de quatre mille huit cents kilomètres de long sur mille six cents kilomètres de large, entourée par la mer Unique qui recouvrait toute la planète pluvieuse.

La mer Unique qui clapotait, là, sur le rivage blanchâtre.

« Par ici. » Le lieutenant fit un signe de tête vers le sud. « Je suis sûr qu'on va trouver deux dômes solaires par là.

— Pendant qu'ils y étaient, pourquoi n'en ont-ils pas construit une centaine de plus ?

— Il y en a cent vingt, actuellement, c'est ça ?

— Cent vingt-six, le mois dernier. Sur Terre, au Congrès, ils ont essayé de faire passer une loi, l'année dernière, pour obtenir une vingtaine de dômes supplémentaires. Mais vous savez comment ça se passe. Ils préfèrent que quelques hommes deviennent dingues sous la pluie. »

Ils partirent vers le sud.

Le lieutenant, Simmons et le troisième homme, Pickard, avançaient sous la pluie, sous la pluie qui tombait, violente puis légère, violente puis légère, la pluie qui déferlait en tambourinant et n'arrêtait pas de se déverser sur la terre et la mer et sur les hommes qui marchaient.

Simmons fut le premier à le voir. « Le voilà !

— Le voilà quoi ?

— Le dôme solaire ! »

---

8. **they'd rather a few men went :** ⚠ **had rather** est suivi d'une construction personnelle lorsque la phrase comporte deux sujets distincts. Le deuxième verbe est obligatoirement au prétérit. Cf. **I'd rather you saw (didn't see) a doctor,** *je préférerais que vous voyiez (ne voyiez pas) un docteur.*
9. **rain :** la répétition de mots, bien qu'elle ne soit en aucun cas un critère de style en anglais, est caractéristique de l'écriture de Bradbury, surtout dans ses premières nouvelles.

The lieutenant blinked the water from his eyes and raised his hands to ward off the stinging blows of the rain[1].

At a distance there was a yellow glow on the edge of the jungle, by the sea. It was, indeed, the Sun Dome.

The men smiled at each other.

"Looks like you were[2] right, Lieutenant."

"Luck."

"Brother[3], that puts muscle in me, just seeing it[4]. Come on ! Last one there's a son-of-a-bitch !" Simmons began to trot. The others automatically fell in with[5] this, gasping, tired, but keeping pace[6].

"A big pot of coffee for me," panted Simmons, smiling. "And a pan of cinnamon buns, by God ! And just lie there and let the old sun[7] hit you. The guy that invented the Sun Domes, he should have got a medal !"

They ran faster. The yellow glow grew brighter.

"Guess a lot of men went crazy before they figured out[8] the cure. Think it'd be obvious[9] ! Right off[10]." Simmons panted the words in cadence to his running. "Rain, rain ! Years ago. Found a friend. Of mine. Out in the jungle. Wandering around. In the rain. Saying over and over[11], 'Don't know enough, to come in, outta the rain. Don't know enough, to come in, outta[12] the rain. Don't know enough —' On and on. Like that. Poor crazy bastard."

"Save[13] your breath !"

They ran.

They all laughed. They reached the door of the Sun Dome, laughing.

Simmons yanked the door wide. "Hey !" he yelled. "Bring on the coffee and buns[14] !"

There was no reply.

---

1. **the stinging ... rain :** m. à m. : *« les coups cinglants de la pluie ».* A blow : *un coup* (de poing, de bâton). *Un coup de pied :* a kick.
2. **like you were :** ⚠ américanisme, forme incorrecte en anglais britannique, like ne pouvant être suivi d'une proposition complète : he drives quickly, as does his father et non, like his father.
3. **brother :** US, exclamation de surprise : *sapristi, bon sang !*
4. **just seing it :** m. à m. : *« le simple fait de la voir ».*
5. **to fall in with :** *accepter, se prêter à* (un plan, un arrangement).

Le lieutenant secoua l'eau qui dégoulinait de ses paupières et leva les mains pour se protéger des griffures de la pluie.

A quelque distance, on voyait en effet une lueur jaune à l'orée de la jungle, sur le rivage. C'était bien le dôme solaire.

Les hommes se regardèrent, radieux.

« On dirait que vous aviez raison, mon lieutenant.

— Un coup de chance.

— Bon sang, ça me donne du tonus, rien que de le voir. Venez ! Le dernier arrivé est le roi des c... ! » Simmons partit en courant et les autres, machinalement l'imitèrent, à bout de souffle, épuisés, mais maintenant la cadence.

« Un grand bol de café pour moi, haletait Simmons, radieux, et une assiettée de petits pains à la cannelle, pardieu ! Et s'étendre au soleil, et se laisser rôtir ! Ce type qui a inventé les dômes, il aurait mérité une médaille ! »

Ils se mirent à courir plus vite. La lueur jaune devint plus vive.

« Sûrement qu'un tas de types ont dû devenir dingues avant qu'ils ne trouvent la solution. Ça semble pourtant simple ! Évident ! » Simmons lâchait les mots au rythme de sa course. « La pluie, la pluie ! Il y a des années ; j'ai trouvé un gars ; un ami ; dans la jungle ; errant sous la pluie. Il répétait : "J'arrive pas à en sortir, de cette pluie. J'arrive pas à en sortir, de cette pluie. J'arrive pas." Comme ça ; sans arrêt ; pauvre type ; complètement paumé.

— Gardez votre souffle ! »

Ils riaient en courant.

En riant, ils atteignirent le dôme solaire.

Simmons ouvrit la porte d'un coup. « Hé, là-dedans, apportez le café et les petits pains ! » Il n'y eut pas de réponse.

---

6. **pace :** *allure, rythme, cadence.* To keep pace with : *garder le rythme, se maintenir au même niveau.* To set the pace, *donner, établir, la cadence.*
7. **old sun :** old, adjectif, est souvent employé pour exprimer un investissement affectif du locuteur : *ce bon vieux soleil.*
8. **to figure out :** *calculer, évaluer, imaginer, se représenter.*
9. **obvious :** *évident, manifeste, clair.*
10. **right off :** syn. : right away, *tout de suite, sur-le-champ, immédiatement.*
11. **over and over (again) :** *encore et encore.*
12. **outta :** US, familier pour out of.
13. **to save :** ⚠ *épargner, économiser, mettre de côté, ménager.* To save one's strength, *épargner ses forces.*
14. **buns :** petits pains ronds au lait.

They stepped through the door.

The Sun Dome was empty and dark. There was no synthetic yellow sun floating in a high gaseous whisper[1] at the centre of the blue ceiling. There was no food waiting. It was cold as a vault[2]. And through a thousand[3] holes which had been newly punctured[4] in the ceiling water streamed, the rain fell down, soaking into the thick rugs[5] and the heavy modern furniture[6] and splashing on the glass tables. The jungle was growing up like a moss in the room, on top of[7] the book cases and the divans. The rain slashed through the holes and fell upon the three men's faces.

Pickard began to laugh quietly.

"Shut up, Pickard !"

"Ye gods[8], look what's here for us — no food, no sun, nothing. The Venusians — they did it ! Of course !"

Simmons nodded, with the rain funnelling down on his face. The water ran in his silvered hair and on his white eyebrows. "Every once in a while[9] the Venusians come up out of the sea and attack a Sun Dome. They know if they ruin the Sun Domes they can ruin us."

"But aren't the Sun Domes protected with guns ?"

"Sure." Simmons stepped aside to a place that was relatively dry. "But it's been five years since[10] the Venusians tried anything[11]. Defence[12] relaxes. They caught this Dome unaware[13]."

"Where are the bodies ?"

"The Venusians took them all down into the sea. I hear[14] they have a delightful way of drowning you. It takes about eight hours to drown the way they work it[15]. Really delightful."

---

1. **in a high gaseous whisper :** m. à m. : *« dans un murmure gazeux haut placé ».* Gas [gæs] : *le gaz.*
2. **cold as a vault :** on dit aussi : as cold as a vault.
3. **a thousand :** notez que les singuliers : a thousand et a hundred, comme a million et a dozen, ne sont pas suivis de of. A hundred holes : *une centaine de trous.*
4. **to puncture :** *percer, crever, perforer.* A puncture : *une crevaison.* A puncture tyre : *un pneu crevé.*
5. **rug :** *carpette. Tapis :* carpet ou rug. *Moquette :* carpet.
6. **furniture :** *le mobilier, les meubles,* est indénombrable. *Un meuble :* a piece of furniture.
7. **on top of :** notez l'absence d'article défini : *sur le dessus, au sommet de, par-dessus.*

Ils entrèrent.

Le dôme solaire était vide et sombre. Pas de soleil jaune artificiel sur son nuage gazeux au centre du plafond bleu. Pas de nourriture toute préparée. Il y faisait aussi froid que dans un caveau. Et par un millier de trous récemment percés dans le plafond, l'eau coulait, la pluie s'infiltrait, détrempait l'épaisse moquette, mouillait le lourd mobilier moderne, éclaboussait les tables de verre. La jungle poussait comme un tapis de mousse dans la pièce, recouvrant les rangées de livres et les divans. La pluie giclait par les trous sur le visage des trois hommes.

Pickard se mit à rire silencieusement.

« Ça suffit, Pickard !

— Grands dieux ! Regardez ce qu'il y a pour nous, ici — pas de quoi manger, pas de soleil, rien. Ce sont les Vénusiens qui ont fait ça, c'est sûr ! »

Simmons acquiesça, le visage sillonné d'eau.

La pluie coulait sur ses cheveux argentés et ses sourcils blancs. « De temps en temps, les Vénusiens sortent de la mer et attaquent un dôme solaire. Ils savent que s'ils les détruisent ils peuvent nous détruire aussi.

— Mais les dômes ne sont pas défendus ?

— Si. » Simmons se déplaça vers un coin plus sec. « Mais depuis cinq ans les Vénusiens n'ont rien tenté. Alors la défense s'est relâchée. Ils ont pris ce dôme par surprise.

— Où sont les corps ?

— Les Vénusiens les ont tous emmenés au fond de la mer. Il paraît qu'ils ont une manière plaisante de noyer les gens. Ils font durer ça presque huit heures. C'est vraiment charmant !

---

8. **ye gods :** exclamation (désuet), *par les dieux, grands dieux !* Ye, forme archaïque vocative de **you,** pluriel de **thee** (archaïque), ne s'emploie plus que dans la liturgie.
9. **once in a while :** *une fois de temps en temps, à l'occasion, épisodiquement.*
10. **it's been ... since :** forme alternative : **they haven't tried... for five years.**
11. **anything :** et non **something** : *quelque action que ce soit.*
12. **defence :** US ; GB, **defense.**
13. **unaware :** to be unaware of (sth), *ne pas être au courant, informé* ou *conscient de qqch.* **I was unaware of his death,** *j'ignorais sa mort.*
14. **I hear :** *on dit que, j'ai entendu dire que.*
15. **the way they work it :** m. à m. : *« de la manière dont ils s'y prennent ».*

"I bet there isn't any food here at all." Pickard laughed.

The lieutenant frowned at him, nodded[1] at him so Simmons could see. Simmons shook his head and went back to a room at one side of the oval chamber. The kitchen was strewn[2] with soggy loaves[3] of bread, and meat that had grown a faint green fur. Rain came through a hundred holes in the kitchen roof.

"Brilliant[4]." The lieutenant glanced up at the holes. "I don't suppose we can plug up all those holes and get snug[5] here."

"Without food, sir ?" Simmons snorted. "I notice the sun machine's torn appart. Our best bet[6] is to make our way to the next Sun Dome. How far is that from here ?"

"Not far. As I recall, they built two rather close together here. Perhaps if we waited here, a rescue mission from the other might —"

"It's probably been here and gone already, some days ago. They'll send a crew to repair this place in about six months, when they get the money from Congress. I don't think we'd better wait."

"All right then, we'll eat what's left[7] of our rations and get on to the next Dome."

Pickard said, "If only the rain wouldn't[8] hit my head, just for a few minutes. If I could[9] only remember what it's like[10] not to be[11] bothered." He put his hands on his skull and held it tight. "I remember when I was in school a bully[12] used to sit in back of me and pinch me and pinch me and pinch me every five minutes, all day long. He did that for weeks and months.

---

1. **to nod :** ≠ to shake. To nod : *hocher la tête* de bas en haut en signe d'acquiescement. To shake : *faire non de la tête.*
2. **strewn :** de to strew, strewed, strewed ou strewn, *répandre, joncher.*
3. **loaves :** pluriel de : loaf. Autres pluriels en -ves : wives, knives, halves, thieves...
4. **brilliant :** ▲ *très intelligent, remarquable, brillant.* A brilliant idea, *une idée lumineuse.*
5. **snug :** *douillet, chaud, confortable, où l'on est à l'aise.* Proverbe : as snug as a bug in a rug, *tranquille comme Baptiste.*
6. **our best bet :** US pour GB we'd better.

— Je parie qu'il n'y a rien à manger du tout », s'esclaffa Pickard.

Le lieutenant, inquiet, le désigna du menton à Simmons qui hocha la tête et entra dans une pièce adjacente. La cuisine était jonchée de miches de pain détrempées et de morceaux de viande recouverts d'une fine fourrure verte. La pluie tombait du plafond par une centaine de trous.

« Très fort ! » Le lieutenant leva la tête. « Je ne pense pas qu'on arrive à boucher tous ces trous et à rendre l'endroit confortable.

— Sans nourriture, monsieur ? rétorqua Simmons. J'ai vu que la machinerie solaire était détruite. Le mieux pour nous serait de rejoindre le prochain dôme solaire. A quelle distance se trouve-t-il ?

— Pas très loin. Je me souviens qu'ils en ont construit deux assez rapprochés par ici. Peut-être que si nous restions là, une mission de secours pourrait...

— Ils sont sans doute déjà venus il y a quelques jours, et repartis. Ils enverront une équipe dans six mois, pour réparer, quand ils auront touché l'argent du Congrès. Je ne pense pas que nous ayons intérêt à attendre.

— Très bien, nous allons donc manger ce qui reste de nos rations et continuer jusqu'au prochain dôme.

— Si seulement la pluie arrêtait de me taper sur la tête, rien que quelques minutes. Si seulement je pouvais me rappeler ce que c'est que de ne pas être importuné. » Il se prit le crâne à deux mains. « Je me souviens, à l'école, il y avait une petite frappe, derrière moi, qui n'arrêtait pas de me pincer et de me pincer, toutes les cinq minutes, toute la journée. Pendant des semaines, des mois.

---

7. **what's (is) left :** de to leave, left, left, *laisser. Ce qui reste, le reste.*
8. **wouldn't :** ⚠ would n'est pas ici la marque du conditionnel (on emploie l'imparfait dans la subordonnée en **if**) mais a le sens de *« bon vouloir » : si elle voulait seulement s'arrêter.*
9. **could :** prétérit de can et non conditionnel (voir note 8).
10. **what it's like :** *à quoi cela ressemble, comment c'est.*
11. **not to be :** notez l'ordre des mots dans l'infinitif négatif. To be or not to be, *être ou ne pas être.*
12. **a bully :** *un dur, un voyou.* To bully, *malmener, rudoyer, brutaliser.*

My arms were sore[1] and black and blue all the time. And I thought I'd go crazy from being pinched. One day I must have gone a little mad from being hurt and hurt, and I turned around and took a metal tri-square I used in mechanical drawing and I almost killed that bastard. I almost cut his lousy head off. I almost took his eye out before they dragged me out of the room, and I kept yelling, 'Why don't he[2] leave me alone ? Why don't he leave me alone ? Brother !'" His hands clenched[3] the bone of this head[4], shaking, tightening[5], his eyes shut. "But what do I do *now* ? Who do I hit, who do I tell to lay off, stop bothering me, this damn rain, like the pinching, always *on* you, that's all you hear, that's all you feel !"

"We'll be at the other Sun Dome by four this afternoon."

"Sun Dome ? Look at this one ! What if all the Sun Domes on Venus are gone ? What then ? What if there are holes in all the ceilings, and the rain coming in !"

"We'll have to chance[6] it."

"I'm tired of chancing it. All I want is a roof and some quiet. I want to be alone."

"That's only eight hours off[7], if you hold on."

"Don't worry, I'll hold on[8] all right[9]." And Pickard laughed, not looking at them.

"Let's eat," said Simmons, watching him.

They set off down the coast, southward again. After four hours they had to cut inland[10] to go around a river that was a mile wide and so swift it was not navigable by boat.

---

1. **sore :** *douloureux, endolori, irrité.* To have a sorethroat, *avoir une angine.*
2. **why don't he :** incorrect pour why doesn't he.
3. **to clench :** *serrer convulsivement, crisper, contracter* (les doigts, les mâchoires).
4. **the bone of his head :** m. à m. : *« l'os, l'ossature de sa tête ».*
5. **to tighten :** *(res)serrer, (re)visser, bloquer, tendre, raidir.*
6. **to chance :** *risquer sa chance, courir le risque.* ⚠ chance : *le hasard.* By chance, *par hasard.*
7. **off :** adverbe, marque l'éloignement.

J'en avais les bras douloureux et couverts de bleus. J'ai cru devenir fou à force d'être pincé comme ça. Un jour, je devais être un peu dingue sous l'effet de la douleur, j'ai pris l'équerre qui me servait en dessin industriel, je me suis retourné et je l'ai presque tué, ce salopard. Je lui ai presque coupé sa sale tête. Je lui avais pratiquement arraché un œil quand ils m'ont traîné dehors ; et je n'arrêtais pas de hurler : "Pourquoi est-ce qu'il ne me laisse pas tranquille, pourquoi est-ce qu'il ne me laisse pas tranquille ? Bon sang de malheur !" » Les yeux fermés, il serrait son crâne dans ses mains crispées et tremblantes. « Mais qu'est-ce que je fais maintenant ? A qui je casse la figure ? A qui je dis d'aller se faire foutre et de me ficher la paix ? Cette satanée pluie, comme les pinçons, à supporter *tout le temps*. C'est tout ce qu'on entend, c'est tout ce qu'on sent !

— Nous serons à l'autre dôme à quatre heures de l'après-midi.

— L'autre dôme ? Regardez celui-ci ! Et si tous les dômes de Vénus sont détruits ? Hein ? Et s'il y a des trous dans les plafonds et la pluie qui rentre ?

— Il faut courir le risque.

— J'en ai assez de courir des risques. Tout ce que je veux, c'est un toit et la paix. Je veux qu'on me laisse seul.

— Ce n'est qu'à huit heures de marche, si vous tenez bon.

— Ne vous inquiétez pas, je tiendrai le coup. » Pickard se mit à rire sans les regarder.

« Mangeons », dit Simmons qui l'observait.

Ils repartirent vers le sud, le long de la côte. Après quatre heures de marche, ils durent prendre par l'intérieur, pour contourner un fleuve large d'un kilomètre et demi et si rapide qu'il n'était pas navigable.

---

8. **to hold on :** *tenir bon.* **To hold on to** : *s'accrocher, se cramponner, ne pas lâcher.* (Au téléphone) **hold on** ! *ne quittez pas !*
9. **all right :** US met l'emphase sur la décision prise par le locuteur : **I'll do it all right,** *je vais le faire, tu peux me croire* (je te le garantis, c'est sûr), et non pas « je vais le faire très bien ».
10. **inland :** *intérieur* (d'un pays). **Inland navigation,** *navigation fluviale.* **The Inland Revenue** (GB), *le fisc.*

They had to walk inland six miles to a place where the river boiled out of the earth, suddenly, like a mortal wound[1]. In the rain, they walked on solid ground and returned to the sea.

"I've got to[2] sleep," said Pickard at last. He slumped. "Haven't slept in[3] four weeks. Tried, but couldn't. Sleep here."

The sky was getting darker. The night of Venus was setting in and it was so completely black that it was dangerous to move. Simmons and the lieutenant fell to their knees also, and the lieutenant said, "All right, we'll see what we can do. We've tried it before, but I don't know. Sleep doesn't seem one of the things you can get in this weather."

They lay[4] out full, propping their heads up so the water wouldn't come to their mouths, and they closed their eyes.

The lieutenant twitched.

He did not sleep.

There were things that crawled on his skin. Things grew upon him in layers. Drops fell and touched other drops[5] and they became streams that trickled over his body, and while these moved down his flesh, the small growths[6] of the forest took root in his clothing. He felt the ivy cling and make a second garment[7] over him; he felt the small flowers bud[8] and open and petal away[9], and still the rain pattered on his body and on his head. In the luminous night — for the vegetation glowed in the darkness — he could see[10] the other two men outlined[11], like logs[12] that had fallen and taken upon themselves velvet coverings of grass and flowers. The rain hit his face.

---

1. **wound** [wu:nd] **:** to wound : *blesser.* The wounded : *les blessés.*
2. **I've got to :** variante familière de I have to. A éviter dans la langue écrite soignée.
3. **in :** dans les phrases négatives du type *pas... depuis, pas... pendant,* l'expression de la durée peut être introduite par in, for ou these ; ex. : I haven't slept these four weeks.
4. **they lay :** de to lie, lay, lain, *être étendu.* A distinguer de to lay, laid, laid, *étendre* et de to lie down, *s'allonger.* Les formes en lay prêtant à confusion, on emploie le plus souvent la forme progressive was (were) lying, au lieu de lay, au prétérit.
5. **touched other drops :** Bradbury use volontairement de ces répétitions, symétries et lenteur d'écriture. Les rendre mot pour

Ils remontèrent pendant dix kilomètres jusqu'à un endroit où le fleuve jaillissait de terre en bouillonnant, comme d'une blessure mortelle. Ils gagnèrent un sol plus stable, et sous la pluie, redescendirent vers la mer.

« Il faut que je dorme », dit Pickard à la fin. Il s'effondra. « Pas dormi depuis quatre semaines. Essayé, mais pas pu. Vais dormir là. »

Le ciel s'assombrissait. La nuit vénusienne s'installait et il faisait si noir qu'il devenait dangereux d'avancer. Simmons et le lieutenant se laissèrent tomber à genoux eux aussi. « D'accord, dit le lieutenant, voyons ce qu'on peut faire ; nous avons déjà essayé mais on ne sait jamais. Le sommeil ne semble pas être possible dans ce climat. »

Ils s'étendirent à plat dos, la tête calée pour que l'eau ne leur coule pas dans la bouche et fermèrent les yeux.

Le lieutenant tressaillit.

Il ne dormait pas.

Des choses rampaient sur sa peau, s'étalaient sur lui en couches. Des gouttes tombaient, rejoignaient d'autres gouttes et couraient en ruisselets sur son corps, tandis que les minuscules pousses de la forêt s'enracinaient dans ses habits. Il sentait le lierre s'attacher sur lui comme un second vêtement. Il sentait de petites fleurs bourgeonner, éclore et s'étaler en corolles et la pluie, toujours, qui lui martelait le corps et la tête. Dans la nuit lumineuse — car la végétation luisait — il distinguait la silhouette des deux autres, pareils à des troncs d'arbres abattus recouverts d'un tapis d'herbe et de fleurs. La pluie lui fouetta le visage.

---

mot en français ne ferait que trahir l'auteur puisque les critères de style sont différents dans les deux langues.

6. **growth :** 1) *pousse, croissance, arrivée à maturité ;* 2) *augmentation, expansion, développement.* Ici, **growths,** *les pousses.*

7. **garment :** désuet pour **clothes,** *le vêtement.*

8. **bud :** infinitif sans **to** après **to feel. To bud,** *bourgeonner.*

9. **petal away :** verbe forgé par l'auteur. Notez à quel point l'anglais est souple et imagé, qui peut former un verbe avec un nom + une postposition. **Away** ajoute ici une idée de profusion, de vigueur.

10. **could see : can** + verbe de perception ne se traduit pas en français.

11. **to outline :** 1) *tracer le contour, silhouetter ;* 2) *souligner ;* 3) *esquisser les grandes lignes.*

12. **log :** *bûche, rondin, tronçon de bois.* **A log cabin,** *une cabane en rondins.*

He covered his face with his hands. The rain hit his neck. He turned over on his stomach in the mud, on the rubbery plants, and the rain hit his back and hit his legs.

Suddenly he leaped up and began to brush the water from himself. A thousand hands were touching him and he no longer wanted to be touched. He no longer[1] could stand being touched. He floundered and struck something else and knew that it was Simmons, standing up in the rain, sneezing moisture[2], coughing and choking. And then Pickard was up, shouting, running about.

"Wait a minute, Pickard !"

"Stop it, stop it !" Pickard screamed. He fired off his gun six times at the night sky. In the flashes[3] of powdery illumination they could see armies of raindrops, suspended as in a vast motionless[4] amber, for an instant, hesitating as if shocked by the explosion, fifteen billion[5] droplets[6], fifteen billion tears, fifteen billion ornaments, jewels standing out against a white velvet viewing board[7]. And then, with the light gone, the drops which had waited to have their pictures taken, which had suspended their downward rush, fell upon them, stinging, in an insect cloud of coldness and pain.

"Stop it ! Stop it !"

"Pickard !"

But Pickard was only standing now, alone. When the lieutenant switched on a small hand lamp and played it over[8] Pickard's wet face, the eyes of the man were dilated, and his mouth was open, his face turned up, so[9] the water hit and splashed on his tongue, and hit and drowned the wide eyes, and bubbled[10] in a whispering froth on the nostrils.

---

1. **no longer :** déplacement emphatique avant l'auxiliaire. No longer se place d'ordinaire juste avant le verbe.
2. **sneezing moisture :** m. à m. : *« éternuant de l'humidité »*. Voir note 12, page 71.
3. **a flash :** *un éclair de lumière.* A flash of hope, *une lueur d'espoir ;* A flash of genius, *un trait de génie.* Flashy, *voyant, ostentatoire.*
4. **motionless :** le privatif -less accolé à un nom sert à former des adjectifs. Ex. : headless, *sans tête,* cloudless, *sans nuage,* noiseless, *silencieux.*
5. **billion :** comme thousand, hundred, million et dozen, est

Il se protégea de ses mains. La pluie lui fouetta le cou. Il se retourna sur le ventre dans la boue, sur les plantes élastiques et la pluie lui cingla le dos et les jambes.

Brusquement il se releva et commença à s'ébrouer. Un millier de mains le touchaient et il ne voulait plus qu'on le touche. Il ne pouvait plus supporter ces attouchements. Il trébucha, heurta quelque chose et reconnut Simmons qui s'était levé aussi, et qui éternuait, toussait et s'étouffait dans toute cette humidité. Puis ce fut Pickard, qui courait de tous côtés en criant.

« Attendez, Pickard !

— Arrêtez ça, arrêtez ça ! » hurlait Pickard. Il fit feu par six fois dans le ciel nocturne. Dans la lueur des détonations, ils aperçurent, figées en une masse d'ambre immobile, des myriades de gouttes de pluie, arrêtées dans leur chute, comme surprises par l'explosion. Quinze milliards de gouttelettes, quinze milliards de larmes, de perles, étincelant sur un écrin de velours blanc. Et brusquement, les flashes éteints, les gouttes, qui s'étaient immobilisées le temps d'une photographie, s'abattirent sur eux en un essaim mordant, glacé et douloureux.

« Arrêtez ça, arrêtez ça !

— Pickard ! »

Mais Pickard, immobile, semblait ailleurs. Quand le faisceau de sa lampe de poche balaya le visage mouillé de l'homme, le lieutenant vit des yeux écarquillés, une bouche ouverte, une face tendue vers la pluie qui giclait sur la langue, noyait les yeux dilatés et bouillonnait autour des narines en une écume bruissante.

---

invariable quand il est précédé d'un nombre précis (ou de a few, several et many).

6. **droplets :** le suffixe -let sert à former des diminutifs. Cf. : starlet, booklet, kitchenette.

7. **a viewing board :** *une vitrine, un présentoir, un écrin.*

8. **to play** + cod + **over (on) :** *diriger, braquer, appliquer.* They played their guns over the house, *ils dirigèrent le feu de leurs armes sur la maison.*

9. **so :** so that, *si bien que.*

10. **to bubble :** *faire des bulles, bouillonner.* It's bubbling hot, *c'est bouillant, brûlant.*

"Pickard !"

The man would[1] not reply. He simply stood there for a long while with the bubbles of rain breaking out in his whitened hair and manacles[2] of rain jewels dripping from his wrists and his neck.

"Pickard ! We're leaving. We're going on. Follow us."

The rain dripped from Pickard's ears.

"Do you hear me, Pickard !"

It was like shouting down a well.

"Pickard !"

"Leave him alone," said Simmons.

"We can't go on without him."

"What'll we do, carry him ?" Simmons spat[3]. "He's no good[4] to us or himself. You know what he'll do ? He'll just stand here and drown."

"What ?"

"You ought to[5] know that by now. Don't you know the story ? He'll just stand here with his head up and let the rain come in his nostrils and his mouth. He'll breathe[6] the water."

"No."

"That's how they found General Mendt that[7] time. Sitting on a rock with his head back, breathing the rain. His lungs were full of water."

The lieutenant turned the light back to the unblinking[8] face. Pickard's nostrils gave off a tiny[9] whispering wet sound.

"Pickard !" The lieutenant slapped[10] the face.

"He can't even feel you," said Simmons. "A few days in this rain and you don't have[11] any face or any legs or hands."

The lieutenant looked at his own hand in horror. He could no longer[12] feel it.

"But we can't leave Pickard here."

---

1. **would :** exprime souvent un trait de caractère, une particularité, un tic (ici l'obstination). Ex. : **he would smoke his pipe in the bathroom,** *il fallait qu'il fume sa pipe dans la salle de bains.*
2. **manacles :** littéraire. Syn. : **handcuffs,** *les menottes.*
3. **to spit, spat, spat :** 1) *cracher ;* 2) *grésiller, crachoter.* Ici, *cracher ses mots.*
4. **no good :** *d'aucune utilité.* Cf. **it's no good carrying this,** *ça ne sert à rien d'emporter ça.*

« Pickard ! »

L'homme ne répondait pas. Il restait là, indéfiniment. Des bulles crevaient dans ses cheveux blanchis et des bracelets de perles se faisaient et se défaisaient à ses poignets et à son cou.

« Pickard ! Nous partons ! Nous continuons, suivez-nous ! »

La pluie dégoulinait des oreilles de Pickard.

« Vous m'entendez, Pickard ! »

C'était comme crier dans un puits.

« Pickard !

— Laissez-le ! dit Simmons.

— Nous ne pouvons pas continuer sans lui.

— Et alors, on va le porter ? aboya Simmons. Il est fichu, pour nous comme pour lui-même. Vous savez ce qu'il va faire ? Il va rester là, c'est tout, et se noyer.

— Quoi ?

— Vous devriez être au courant, maintenant. Vous ne connaissez pas le truc ? Il va rester là, la tête en l'air et laisser la pluie rentrer dans ses narines et dans sa bouche. Il va respirer l'eau.

— Non !

— C'est comme ça qu'ils ont retrouvé le général Mendt, ce jour-là. Assis sur un rocher, la tête renversée, respirant la pluie. Il avait les poumons pleins d'eau. »

Le lieutenant dirigea sa lampe sur le visage impassible. Les narines de Pickard produisirent un léger gargouillement.

« Pickard ! » Le lieutenant le gifla.

« Il ne vous entend même plus, dit Simmons. Quelques jours sous cette pluie et on n'a plus ni visage, ni jambes ni mains. »

Le lieutenant regarda sa propre main avec horreur. Il ne la sentait plus.

« Mais nous ne pouvons pas laisser Pickard ici.

---

5. **ought to :** a la même valeur de conseil ou de reproche (ici) que **should**. Aux formes interrogative et négative, **should** est préféré.
6. **to breathe :** ⚠ pron. [briːð] ; mais *le souffle,* **breath** : [breθ].
7. **that :** se rapporte au passé : *cette fois-là.* **This** se rapporte au présent : **this time,** *cette fois-ci.*
8. **unblinking :** lit. : *« qui ne cillait pas ».*
9. **tiny :** *tout petit, minuscule, menu.* Comme **little, tiny** exprime une nuance affective. **A tiny bit** : *un tantinet, un doigt.*
10. **to slap :** *frapper du plat de la main.* **He slapped her in the face,** *il la gifla.*
11. **don't have :** un anglais britannique dira plutôt : **haven't got.**
12. **no longer :** (durée) *pas plus longtemps. Pas plus* (quantité), **no more.**

"I'll show you what we can do." Simmons fired his gun.

Pickard fell into the raining earth.

Simmons said, "Don't move, Lieutenant. I've got my gun ready for you too[1]. Think it over; he would only have stood or sat there and drowned. It's quicker this way."

The lieutenant blinked at the body. "But you killed him."

"Yes, because he'd have killed us by being a burden[2]. You saw his face. Insane."

After a moment the lieutenant nodded. "All right."

They walked off into the rain.

It was dark[3] and their hand lamps threw a beam that pierced the rain[4] for only a few[5] feet. After a half hour[6] they had to stop and sit through[7] the rest of the night, aching[8] with hunger, waiting for the dawn to come; when it did[9] come it was grey and continually raining as before, and they began to walk again.

"We've miscalculated," said Simmons.

"No. Another hour."

"Speak louder. I can't hear you." Simmons stopped and smiled. "By Christ," he said, and touched his ears. "My ears. They've gone out on me. All the rain pouring[10] finally numbed[11] me right down to[12] the bone."

"Can't you hear anything ?" said the lieutenant.

"What ?" Simmons's eyes were puzzled[13].

"Nothing. Come on."

"I think I'll wait here. You go on ahead[14]."

"You can't do that."

"I can't hear you. You go on. I'm tired. I don't think the Sun Dome is down this way[15]. And, if it is, it's probably got holes in the roof, like the last one. I think I'll just sit here."

---

1. **I've got my gun ready for you :** m. à m. : *« je tiens mon revolver prêt à tirer sur vous ».*
2. **a burden :** *une charge, un fardeau.* What a burden ! *quel ennui !* He was a burden to his family, *il était un poids pour sa famille.*
3. **dark :** *foncé, sombre.* It's dark outside, *il fait noir, il fait nuit.*
4. **threw ... rain :** m. à m. : *« jetait un rayon lumineux qui perçait la pluie ».*
5. **a few :** ⚠ *quelques, un petit nombre.* Quite a few, *un grand nombre.*
6. **a half hour :** plus courant : half an hour.
7. **through :** (ici) *d'un bout à l'autre, du début à la fin.*

— Je vais vous montrer ce qu'on peut faire. » Simmons fit feu. Pickard tomba sur le sol boueux.

« Ne bougez pas, mon lieutenant. J'ai encore une balle pour vous, réfléchissez ; il serait resté là, assis ou debout et il se serait laissé noyer. C'est plus rapide comme ça. »

Le lieutenant regarda le corps et cilla. « Mais vous l'avez tué !

— Oui. Mais son fardeau nous aurait tués. Vous avez vu sa tête ; il était fou. »

Au bout d'un moment, le lieutenant hocha la tête : « D'accord. »

Ils repartirent sous la pluie.

Il faisait noir et le faisceau de leurs torches ne portait qu'à quelques mètres à travers les gouttes. Au bout d'une demi-heure, ils durent faire halte pour le restant de la nuit. Ils s'assirent, affamés, et attendirent l'aube. Quand pointa le jour, le ciel était gris, il pleuvait toujours. Ils repartirent.

« On a mal calculé.

— Non, encore une heure.

— Parlez plus fort, je ne vous entends, pas. » Simmons s'arrêta et se mit à sourire. « Seigneur ! » Il toucha ses oreilles. « Mes oreilles ! Elles m'ont laissé tomber ! Toutes ces cataractes ont fini par me rendre insensible jusqu'aux os.

— Nous n'entendez vraiment rien ?

— Quoi ? » Simmons interrogeait des yeux.

« Rien. Venez !

— Je crois bien que je vais attendre ici. Vous pouvez continuer.

— Vous ne pouvez pas faire ça.

— Je ne vous entends pas. Allez-y, vous. Je suis fatigué. Je ne crois pas qu'on trouve le dôme solaire par là et, si on le trouve, il sera sans doute plein de trous, comme l'autre. Je crois que je vais simplement m'asseoir là.

---

8. **to ache :** *souffrir.* ⚠ pron. [eɪk].
9. **did :** forme emphatique, rendue par un adverbe en français.
10. **to pour :** 1) *verser ;* 2) *tomber à verse.*
11. **to numb :** *engourdir.* Numb, adj. : *engourdi, gourd.*
12. **right down to :** lit. : *« complètement jusqu'à ».*
13. **to be puzzled :** *être embarrassé, perplexe, troublé.*
14. **ahead :** *devant, en avant, sur l'avant.* **Ahead of them,** *devant eux.* **Right ahead,** *droit devant.* **Go straight ahead,** *avancez tout droit.*
15. **down this way :** **down** indique ici l'éloignement et non l'idée de descendre.

"Get up from there !"

"So long, Lieutenant."

"You can't give up now."

"I've got a gun here that says I'm staying. I just don't give a damn[1] any more. I'm not crazy yet, but I'm the next thing to it[2]. I don't want to go out that way[3]. As soon as you get out of sight[4]. I'm going to use this gun on myself."

"Simmons !"

"You said my name. I can read that much off your lips."

"Simmons."

"Look, it's a matter of time. Either I die now or[5] in a few hours. Wait'll[6] you get to that next Dome, if you ever[7] get there, and find rain coming in through the roof. Won't that be nice ?"

The lieutenant waited and then splashed off in the rain. He turned and called back once, but Simmons was only sitting there with the gun in his hands, waiting for him to get out of sight. He shook his head and waved[8] the lieutenant on.

The lieutenant didn't even hear the sound of the gun.

He began to eat the flowers as he walked. They stayed down for a time[9], and weren't poisonous ; neither were[10] they particularly sustaining, and he vomited them up, sickly[11], a minute or so later.

Once he took some leaves and tried to make himself a hat, but he had tried that before, the rain melted the leaves from his head. Once[12] picked, the vegetation rotted quickly and fell away into grey masses in his fingers.

"Another five minutes," he told himself. "Another five minutes and then I'll walk into the sea and keep walking.

---

1. **a damn :** *moins que rien, deux fois rien.* It's not worth a damn, *ça ne vaut rien.*
2. **the next thing to it :** lit. : *« la chose la plus proche qui existe ».*
3. **that way :** *ainsi.* Way : (ici) *manière, façon, moyen.*
4. **out of sight :** *hors de vue* ≠ in sight, *en vue.*
5. **either ... or :** conjonction, *ou bien ... ou bien, soit ... soit,* ou *ni ... ni* (après une négation). I don't believe he's either ill or tired, *je ne crois pas qu'il soit ni malade ni fatigué.*
6. **wait'll :** = wait till. Langue parlée : élision anaphorique de till, *jusqu'à ce que.*
7. **ever :** *jamais* et non « ne ... jamais ». Notez que ever ne s'applique pas seulement au passé.

— Levez-vous !

— Au revoir, mon lieutenant.

— Vous ne pouvez pas abandonner maintenant.

— J'ai un revolver, ici, qui me dit de rester. Ça m'est complètement égal. Je ne suis pas encore fou, mais je n'en suis pas loin. Je ne veux pas partir comme ça. Dès que je vous aurai perdu de vue, je vais utiliser mon arme.

— Simmons !

— Vous avez dit mon nom, je l'ai lu sur vos lèvres.

— Simmons !

— Écoutez, ce n'est plus qu'une question de temps. Soit je meurs maintenant soit dans quelques heures ! Attendez donc d'arriver au prochain dôme, si jamais vous y arrivez, et de trouver la pluie qui passe par les trous du plafond. Charmant, non ? »

Le lieutenant hésita un moment, puis s'éloigna en pataugeant. Il se retourna une fois et héla Simmons, mais celui-ci restait assis le revolver à la main, attendant que le lieutenant ait disparu. Il fit non de la tête et, d'un geste, lui signifia de s'éloigner.

Le lieutenant n'entendit même pas la détonation.

Il se mit à mâcher des fleurs tout en marchant. Elles n'étaient ni vénéneuses ni particulièrement nourrissantes, mais elles trompaient un moment sa faim ; d'ailleurs, un moment plus tard, il les vomissait, écœuré.

A un moment, il essaya de se fabriquer un chapeau avec des feuilles, bien qu'il ait déjà tenté l'expérience. Mais la pluie désagrégeait les plantes sur sa tête. Une fois cueillie, la végétation pourrissait rapidement et fondait en masses gélatineuses dans ses doigts.

Encore cinq minutes, se dit-il, *et j'entre dans la mer et je ne m'arrête plus.*

---

8. **to wave :** *agiter la main, faire signe de la main.* He waved him on, *il lui fit signe de continuer.*
9. **they stayed down for a time :** m. à m. : *« elles restaient dans l'estomac un moment ».*
10. **neither were they :** inversion obligatoire lorsqu'on a une négation en début de phrase.
11. **sickly :** adv. : *avec dégoût, écœurement, de manière maladive.* Sickly, adj. : 1) *souffreteux, maladif, malingre ;* 2) *nauséabond, écœurant* (a sickly smell).
12. **once :** (ici) conj. de temps : *une fois que.*

We weren't[1] made for this ; no Earthman was or ever[2] will be able to take it. Your[3] nerves, your nerves."

He floundered his way[4] through a sea of slush[5] and foliage and came to a small hill.

At a distance there was a faint[6] yellow smudge[7] in the cold veils of water.

The next Sun Dome.

Through the trees, a long round yellow building, far away. For a moment he only stood, swaying, looking at it.

He began to run and then he slowed down, for[8] he was afraid. He didn't call out. What if it's the same one ? What if it's the dead Sun Dome, with no sun in it ? he thought.

He slipped[9] and fell. Lie[10] here, he thought, it's the wrong one. Lie here. It's no use[11]. Drink all you want.

But he managed to climb to his feet again and crossed several creeks, and the yellow light grew very bright, and he began to run again, his feet crashing into mirrors and glass[12], his arms flailing[13] at diamonds and precious stones.

He stood before the yellow door. The printed letters[14] over it said THE SUN DOME. He put his numb hand up to feel it. Then he twisted[15] the doorknob and stumbled in.

He stood for a moment looking about. Behind him the rain whirled at the door. Ahead of him, upon a low table, stood a silver pot of hot chocolate, steaming, and a cup, full, with a marshmallow in it. And beside that, on another tray, stood thick sandwiches of rich chicken meat and fresh-cut[16] tomatoes and green onions.

---

1. **weren't :** [went].
2. **ever :** et non never, puisque l'adverbe est régi par no, en début de phrase. Ever est placé devant l'auxiliaire pour emphase.
3. **your :** a ici une valeur générale : the nerves.
4. **he floundered his way :** *il avança en pataugeant.* Cf. he limps his way, *il avance en boitant ;* he elbows his way, *il joue des coudes pour avancer.*
5. **slush :** *neige à moitié fondue ; vase, fange.*
6. **faint :** *faible, indistinct, léger, ténu.*
7. **smudge :** 1) *tache* (d'encre, de suie), *salissure, noircissure ;* 2) US, *fumée épaisse ;* 3) *masse indistincte.*
8. **for :** *car,* syn. : because.

Nous ne sommes pas faits pour cela ; aucun Terrien ne sera jamais capable d'endurer cela. C'est nos nerfs, nos nerfs !

En pataugeant dans la vase, empêtré dans des algues, il parvint à une petite hauteur.

A une certaine distance, à travers les pans de pluie, on distinguait une faible tâche jaune.

Le dôme suivant.

Au milieu des arbres, dans le lointain, un grand bâtiment circulaire. Pendant un instant, il resta là, vacillant, à le fixer du regard.

Il se mit à courir, puis ralentit, saisi d'inquiétude. Il n'osa pas appeler. Et si c'était le même ? Si c'était le dôme muet et sans soleil ?

Il glissa et tomba. *Reste là*, se dit-il, *ce n'est pas le bon. Reste là, à quoi bon ? Bois tout ton saoul.*

Mais il parvint encore à se remettre debout et à traverser quelques derniers ruisseaux. La lumière jaune devint très vive et il se remit à courir, piétinant des flaques miroitantes qu'il brisait comme du verre et moulinant des bras dans les gemmes et les diamants. Il s'arrêta devant la porte jaune. On pouvait y lire, en grosses lettres : DÔME SOLAIRE. Il tendit une main engourdie, pour la toucher, puis il fit tourner la poignée et entra en chancelant.

Il resta là, un moment, à observer. Derrière lui, la pluie tourbillonnait contre la porte. Devant lui, sur une table basse, fumait un pichet d'argent rempli de chocolat chaud et une tasse était servie, couronnée d'un marshmallow. A côté, sur un autre plateau, étaient posés de gros sandwiches au poulet, avec des tomates en tranches et des oignons verts.

---

9. **to slip :** ⚠ pron. [slɪp] et non [sliːp] **(sleep).**
10. **lie :** impératif de to lie, *rester couché.*
11. **it's no use + -ing :** *ce n'est pas la peine de.* It's no use running, *rien se sert de courir.*
12. **his feet ... glass :** m. à m. : *« ses pieds écrasant des miroirs et du verre ».* ⚠ Glass : *le verre. Une glace,* a mirror. *La glace,* ice.
13. **to flail :** 1) *battre* (comme au fléau), *flageller ;* 2) *se débattre, agiter pieds et mains.*
14. **the printed letters :** *les lettres capitales.* To print, *imprimer.*
15. **to twist :** *imprimer une torsion à.*
16. **fresh-cut :** *récemment coupées.*

And on a rod[1] just before his eyes was a great thick green Turkish towel, and a bin[2], in which to throw wet clothes, and, to his right, a small cubicle in which heat rays might dry you instantly. And upon a chair, a fresh change[3] of uniform, waiting for anyone[4] - himself, or any lost one — to make use of it. And farther over[5], coffee in steaming copper[6] urns, and a phonograph from which music was playing quietly, and books bound[7] in red and brown leather. And near the books a cot[8], a soft deep cot upon which one might lie, exposed and bare[9], to drink in the rays of the one great bright thing which dominated the long room.

He put his hands to his eyes. He saw other men moving toward him, but said nothing to them. He waited, and opened his eyes, and looked. The water from his uniform pooled at his feet, and he felt it drying from his hair and his face and his chest[10] and his arms and his legs.

He was looking at the sun.

It hung in the centre of the room, large and yellow and warm. It made not a sound[11], and there was no sound in the room. The door was shut and the rain only a memory to his tingling[12] body. The sun hung high in the blue sky of the room, warm, hot, yellow, and very fine.

He walked forward, tearing off his clothes as he went.

---

1. **rod :** *baguette, canne, tringle, barre.* A lightning rod : *un paratonnerre.*
2. **a bin :** *un bac, un coffre, un casier, un récipient.* A dustbin : *une poubelle.*
3. **change :** (ici) *vêtements de rechange.*
4. **anyone :** et non someone : *n'importe qui.*
5. **farther over :** syn. : farther on, *plus loin encore.*
6. **copper :** *cuivre rouge.* Brass : *cuivre jaune.*
7. **bound :** de to bind, bound, bound : *ficeler, attacher, lier, relier.*

Juste devant ses yeux, une grande serviette de bain, en tissu éponge vert épais, pendait d'un crochet, au-dessus d'un bac où l'on pouvait jeter ses vêtements mouillés et, à sa droite, une petite cabine émettait des rayons qui vous séchaient instantanément. Sur une chaise un uniforme de rechange était prêt à être enfilé — par lui ou tout autre égaré. Plus loin encore, du café bouillant dans des cruches de cuivre, un tourne-disque qui jouait de la musique douce et des livres reliés en cuir rouge et brun. Et, à côté des livres, une couchette, un divan profond et douillet, où l'on pouvait s'étendre dévêtu pour s'imprégner des rayons de cette grande chose brillante placée au plafond de la salle.

Il porta les mains à ses yeux. Il vit des hommes s'approcher de lui mais il ne leur parla pas, perdu dans sa contemplation. L'eau s'égouttait de son uniforme et formait une mare à ses pieds. Il la sentait s'évaporer de ses cheveux, de son visage, de sa poitrine, de ses bras et de ses jambes.

Il contemplait le soleil.

Il était suspendu au centre de la pièce, gros astre jaune et chaud. Il ne produisait aucun bruit et la salle était silencieuse. La porte était close et la pluie n'était plus qu'un souvenir pour son corps qui séchait. Le soleil brillait haut dans le ciel bleu du dôme, chaleureux, brûlant, éclatant et magnifique.

Il s'avança dans la pièce, en déchirant ses vêtements.

---

8. **cot :** 1) *lit de camp, couchette, hamac ;* 2) *berceau.*
9. **bare :** *nu, dénudé.* **Barefoot,** *nu-pieds ;* **bare-headed,** *nu-tête.* Fam. : **as bare as a baby's bottom,** *nu comme un ver.*
10. **chest :** *la poitrine, la carrure. La poitrine* (le siège des sentiments) : **breast.** *Les seins :* **breasts, bosom** ; fam. : **tits.**
11. **it made not a sound :** littéraire et plus exclusif que **no sound.** L'article indéfini **a, an** a en effet un sens numérique nettement accusé : *pas un seul bruit.*
12. **tingling :** *qui picote, qui fourmille, qui vibre.*

Révisions

Vous avez rencontré dans la nouvelle que vous venez de lire l'équivalent des expressions françaises suivantes.
Vous en souvenez-vous ?

1. Bon, on ferait mieux d'y aller maintenant.
2. C'est à une heure à peu près.
3. Ils marchaient en file indienne, sans un mot.
4. Le froid commençait à s'insinuer dans ses poumons.
5. Je n'ai pas dormi de la nuit.
6. J'ai des migraines et la tête douloureuse.
7. Je regrette d'être venu en Chine.
8. Je ne sais pas combien de temps je vais pouvoir endurer cela.
9. Il m'a semblé voir quelque chose devant nous.
10. Cette pluie me rend fou.
11. On a encore de la nourriture pour deux jours.
12. Qu'allons-nous faire maintenant ?
13. Je parie qu'il n'y a rien à manger ici !
14. Nous serons à l'autre dôme vers seize heures.
15. Je ne pense pas que nous ayons intérêt à attendre.
16. Ce n'est plus qu'une question de temps.

1. **Well, we'd better get going.**
2. **It's an hour or so.**
3. **They walked in single file, not speaking.**
4. **The cold was beginning to seep into his lungs.**
5. **I didn't sleep last night.**
6. **I've got headhaches, my head is sore.**
7. **I'm sorry I came to China.**
8. **I don't know how long I can take it.**
9. **I thought I saw something ahead.**
10. **This rain is driving me crazy.**
11. **We've enough food for another two days.**
12. **What'll we do now ?**
13. **I bet there isn't any food here at all !**
14. **We'll be at the other Dome by four this afternoon.**
15. **I don't think we'd better wait.**
16. **It's only a matter of time.**

INDEX

Vocabulaire rencontré dans les nouvelles : le numéro renvoie à la page de première apparition du terme en contexte, ou à la page où il apparaît en note.

A

accurate *précis, correct,* **26**
ache *douleur,* **158**
ache (to) *souffrir,* **186**
admit (to) *admettre, reconnaître,* **60**
address (to) *adresser la parole à,* **98**
advertisement *réclame, publicité,* **18, 40**
affliction *tristesse, désolation,* **34**
aflame *en flammes, enflammé,* **38**
afraid of (to be) *avoir peur de,* **168**
agree (to) *accepter, être d'accord,* **96**
agreement *accord, convention,* **96**
ahead of *devant, en avant,* **122, 190**
aim (to), (at) *viser,* **54**
air pocket *trou d'air,* **52**
airplane *avion,* **52**
alert *éveillé, alerte, vigilant,* **146**
alive *vivant,* **52**
all over *d'un bout à l'autre,* **88**
all right *très bien, d'accord,* **178**
all the way *tout d'une traite,* **86**
allowance *allocation, pension,* **12**
alone *seul,* **30, 106**
among *parmi,* **14**
ankles *chevilles,* **154**
answer (to) (+ C.O.D.) *répondre,* **94**
anyway *de toute façon,* **40, 84**
ape *un singe,* **154**
appalled *sidéré, atterré,* **14**
appeal (to) *recours, appel,* **116**
applause *applaudissements,* **100**
argument *discussion, dispute,* **58**
arrival *arrivée,* **52**
as of *à la date du,* **170**
ash *la cendre,* **40**
aside *de côté, à l'écart,* **88**
asleep *endormi,* **140**
astounded *stupéfait, ahuri,* **78**
asylum (insane) *asile d'aliénés,* **104**
at last *enfin, à la fin,* **108**

at least	*au moins*, **110**
atop	*sur le dessus*, **126**
audience	*assistance, auditoire*, **100**
average	*moyen, lambda*, **18**
awful	*horrible*, **128**
awning	*auvent de toile*, **140**

B

back seat	*banquette arrière* (auto), **136**
backward	*à l'envers*, **44**
badly (to turn)	*mal (tourner)*, **40**
bag (to)	*abattre du gibier*, **42**
bake (to)	*cuire au four*, **124**
balance	*équilibre, balance*, **54, 58, 64**
balance (to)	*(s') équilibrer*, **58**
bang (to)	*cogner, claquer*, **128**
banknotes	*billets de banque*, **124**
bare, nu	*dénudé*, **192**
barely	*à peine, tout juste*, **26**
bark (to)	*aboyer*, **26**
bastard	*salaud*, **66, 178**
bat	*chauve-souris*, **54**
beast	*bête à quatre pattes*, **60**
beat	*battement, rythme*, **168**
beat (to)	*frapper, battre*, **162**
beautifully	*admirablement*, **40**
beckon (to)	*faire signe du doigt*, **108**
behaviour	*conduite, comportement*, **30**
believe (to)	*ajouter foi à*, **108**
belly	*ventre*, **164**
belong (to)	*appartenir*, **46**
bend (to)	*se pencher, se courber*, **110**
berries	*baies*, **60**
bewildered	*interdit, dérouté*, **80**
beyond	*au-delà*, **70**
bill	*addition*, **14**
	billet, **124**
	loi, **170**
billion	(amér.) *un milliard*, **48**
bin	*récipient, bac*, **192**
bind (to)	*lier*, **192**
blaze (to)	*brûler, étinceler*, **60**
bleak	*morne, triste*, **104**
bleat (to)	*bêler*, **90**
blind	*aveugle*, **94**
blink (to) (light)	*clignoter*, **12**
	ciller, **102**
blood	*sang*, **46, 62**

blow	*un coup*, **164**
blow up (to)	*faire sauter, exploser*, **134**
boar, wild boar	*sanglier*, **48**
boil down to (to)	*se ramener à*, **48**
bolt	*boulon*, **32**
	éclair, **168**
bomb	*bombe*, **52**
bone	*os, ossature*, **56, 178**
bonfire	*feu de joie*, **38**
bony	*osseux, sec*, **124**
book case	*étagère, bibliothèque*, **174**
booth	*cabine*, **140**
born (to be)	*naître, être né*, **44**
both	*tous les deux*, **16**
bother	*ennui, problème*, **86, 106**
bow (to)	*se courber, saluer*, **98**
brain	*cerveau*, **44**
brains	*cervelle*, **44**
brat	*garnement, gosse gâté*, **28**
break (to)	*casser*, **132**
breath	*souffle*, **12**
breathe (to)	*respirer*, **40**
bright	*brillant, éclatant*, **14**
briskly	*résolument*, **128**
broad	*vaste, large, ample*, **54**
broadcast	*émission*, **22**
broil (to)	*rôtir à la braise*, **82**
brood (to)	*méditer*, **94**
building	*bâtiment*, **156**
bulge (to)	*gonfler, grossir*, **86**
bullets	*balles* (de fusil, etc.), **66**
bully (to)	*rudoyer, brutaliser*, **176**
bump (to) (into)	*se cogner, heurter*, **52**
bunch	(fam.) *bande de*, **112**
burden	*fardeau, poids*, **186**
burden (to)	*charger, gréver, encombrer*, **186**
burial	*sépulture, enterrement*, **12**
burnished	*ciré, encaustiqué*, **98**
burst into (to)	*éclater en sanglots*, **92**
bury (to)	*enterrer, ensevelir*, **12**
bushes	*buissons*, **56**
business	*les affaires*, **40, 82**
busy	*affairé, occupé*, **64, 84**
but	*néanmoins, pourtant*, **28**
butterfly	*papillon*, **72**
buzz (to)	*bourdonner*, **12**
buzzer	*sonnerie*, **32**
by all means	*absolument, certainement*, **80**
bystander	*spectateur, passant*, **28**

C

caking *durci, raidi en séchant*, **68**
can (US) *boîte de conserve*, **122**
candy (US) *bonbon, sucrerie*, **146**
cap gun *pistolet à eau d'enfant*, **58**
carefully *précautionneusement*, **90**
carpeting *moquette*, **174**
carry over (to) *transporter*, **30**
cartoon *dessin animé*, **160**
carved *sculpté*, **160**
case *cas*, **110**
cash *monnaie, pièces* (de monnaie), **122**
casual *banal, négligent*, **92**
catching *prenant, captivant*, **108**
causeway *allée, route empierrée*, **84**
cease (to) *cesser, arrêter*, **88**
ceiling *plafond*, **12**
celebrate (to) *fêter, célébrer*, **80**
cell *cellule*, **30**
challenge (to) *défier*, **88**
chance (to) *tenter sa chance*, **178**
chant (to) *psalmodier*, **82**
charcoal *charbon de bois*, **168**
chatter *bavardage*, **82**
check (to) *vérifier, tester*, **110**
check in (to) (on the radio) *s'annoncer*, **20**
check out (to) (hôtel) *quitter, payer*, **20**
checkbook *carnet de chèques*, **66**
cheekbones *pommettes*, **102**
cheers *encouragements*, **32**
cheese *fromage*, **160**
chess, (game of) *jeu d'échecs*, **138**
chest *poitrine*, **56**
chew (to) *mâcher, mastiquer*, **18**
childhood *enfance*, **166**
choke (to) *étouffer, s'étouffer*, **182**
chop (to) *couper, hâcher, débiter*, **24**
chubby *rondouillet, grassouillet*, **78**
chuckle (to) *ricaner*, **96**
clap (to) *frapper des mains*, **100**
claws *griffes*, **56**
clay *terre glaise*, **154**
clean up (to) *nettoyer (se)*, **62**
clench (to) *serrer convulsivement*, **178**
cliff *falaise*, **18**
clod (of earth) *motte* (de terre), **72**
close, adv. *tout près, tout contre*, **50**

coil	*rouleau, enroulement,* **56**
coin	*une pièce de monnaie,* **122**
collapse (to)	*s'évanouir,* **136**
comfortable	*confortable,* **126**
commercials	*spots publicitaires,* **18**
commuters	*banlieusards,* **22**
compass	*boussole, compas,* **156, 162**
confusedly	*avec perplexité,* **80**
confusing	*déroutant, pas clair,* **102**
congratulations	*félicitations,* **98**
consider (to)	*envisager, étudier,* **58**
continuous	*permanent, continu,* **160**
conveniences	*commodités modernes,* **18, 20**
convenient	*pratique, commode,* **18, 20**
convivial	*sociable,* **32**
cool	*frais,* **138**
coolly	*froidement,* **92**
correlate	*faire correspondre,* **52**
cough (to)	*tousser,* **182**
course	*cours d'un fleuve,* **160**
courteously	*avec courtoisie,* **84**
coverage	*reportage, diffusion,* **30**
crack (to)	*craquer, faire craquer,* **14**
cram (to)	*fourrer, entasser,* **60**
crash (to)	*briser en éclats,* **190**
crawl (to)	*ramper,* **126**
crazy	*fou,* **156**
creature	*créature,* **116**
creek	*ruisseau,* **190**
creepers	*plantes grimpantes,* **168**
crew	*équipage* (avion), **94, 100**
crisply	*avec brusquerie,* **94**
croon (to)	*roucouler,* **26, 138**
cross	*oblique, transversal,* **12**
crowd	*foule,* **100**
crowned with	*surmonté de,* **160**
crumple (to)	*froisser, fripper,* **150**
crush (to)	*écraser, anéantir,* **50**
curb (US)	*bord du trottoir,* **148**
cure (to)	*soigner, guérir,* **108**
curse	*juron, gros mot,* **62**
curse (to)	*jurer, lancer des jurons,* **24**
cushions	*coussins,* **64**
cut off (to be)	*être coupés, séparés,* **24**

D

damage	*dégâts, détérioration,* **14**
damages	*dommages et intérêts,* **14**

damned (argot)	*damné, foutu,* **28, 42**
damp	*humide, mouillé,* **56**
dangle (to)	*ballotter, balancer,* **56**
darkness	*obscurité, nuit,* **38**
dawn	*aube, aurore,* **14, 140**
dead	*mort,* **40**
dead weight	*poids mort,* **64**
deaf	*sourd,* **114**
death	*la mort,* **40, 168**
decade	*décennie,* **42**
deck	*pont d'un navire,* **124**
delicate	*fin, délicat,* **56, 126**
delighted	*ravi,* **136**
delightful	*adorable, ravissant,* **174**
deliver (to)	*livrer, amener,* **12**
	délivrer, **20**
demand (to)	*exiger,* **16**
desk	*comptoir,* **42**
device	*mécanisme, système,* **28**
dial (to)	*composer un numéro,* **132**
diameter	*diamètre,* **160**
dictatorship	*dictature,* **40**
dig (to)	*creuser,* **66**
dim	*pâle, obscur, confus,* **130**
directory	*annuaire, répertoire,* **132**
dirt	*saleté, poussière,* **66**
disappointed	*déçu,* **124**
disconsolately	*sans entrain, joie,* **128**
dismay	*consternation,* **80**
display	*étalage,* **14**
disposal	*élimination des ordures,* **16**
distract (to)	*distraire,* **126**
disturb (to)	*déranger,* **94**
do in (to) (argot)	*liquider,* **28**
dodge (to)	*éviter, esquiver,* **166**
dough	*pâte à pain,* **142**
downstairs	*en bas,* **94**
drag (to)	*traîner, tirer,* **162**
drain (to)	*assécher,* **96**
drained dry	*desséché,* **96**
drapes	*rideaux, draperies,* **132**
drastic	*énergique, rigoureux,* **108**
draw a breath	*pousser un soupir,* **114**
drawer	*tiroir,* **94, 122**
dreadful	*affreux, terrible,* **80**
dream	*rêve,* **120**
dreary	*morne, lugubre,* **90**
drench (to)	*tremper complètement,* **62**
drier	*séchoir,* **134**

drift (to) *dériver*, **160**
drive a blow (to) *cogner*, **164**
drive wild (to) *rendre fou*, **164**
drop (to) *lâcher, faire tomber*, **142**
drown (to) *se noyer*, **52**
drugstore *drugstore*, **122**
drums *tambours, batterie*, **12**
drunk (to be) *être aviné*, **24**
dubiously *avec méfiance*, **96**
dull *terne, morne*, **118**
dummy *mannequin, poupée*, **168**
dump (to) *renverser, vider*, **144**
duplicate, adj. *double, en double*, **32**
dusk *crépuscule*, **160**
obscurité, **138**
dust (to) *dépoussiérer, épousseter*, **124**
dwindle (to) *diminuer*, **98**

E

eagerly *avidement, impatiemment*, **52**
earth (what on) *que diable*, **102**
earthquake *tremblement de terre*, **48**
edge *bord, lisière*, **18, 122**
elbow *coude*, **68**
embedded *incrusté*, **72**
empty *vide*, **94**
encounter *rencontre*, **114**
engrossing *captivant, prenant*, **116**
enjoy (to) *profiter de*, **126**
entertain (to) *amuser, divertir*, **128**
environment *environnement*, **32**
escape (to) *échapper à*, **40**
even as *au moment où*, **64**
events *événements*, **60**
eventually *en définitive, pour finir*, **48**
everybody *tout le monde*, **16**
evidence *indice, preuve, signe*, **58**
evil *malfaisant, néfaste*, **56**
exhale (to) *exhaler*, **60**
exhausted *épuisé*, **78**
expendable *jetable, non récupérable*, **48**
exquisite *adorable, délicieux*, **72**
eye (to) *fixer*, **78**
eyebrows *sourcils*, **78, 142**

F

faced with (to be) *être confronté à*, **24**

fade (to)	*diminuer, passer,* **84**
faint	*indistinct, ténu,* **190**
fair	*blond, clair,* **120**
fantasy	*imagination, illusion,* **110**
far away	*au loin, dans le lointain,* **190**
far up	*au plus haut de,* **124**
far-flung	*vaste, étendu, espacé,* **50**
fee	*frais, honoraires, cachet,* **58**
feed (to)	*nourrir, se nourrir,* **122**
feel (to)	*éprouver, sentir, se sentir,* **22**
feel sorry (to)	*se désoler,* **28**
feelings	*sentiments,* **132**
fence	*clôture, barrière,* **56**
figure (to) (US)	*imaginer,* **22**
figure out (to)	*se représenter,* **158**
file	*file,* **156**
	dossier, **112**
fine	*joli, agréable, plaisant,* **88**
fine (to)	*mettre à l'amende,* **24**
fingernail	*ongle,* **26**
finicky	*délicat, méticuleux,* **46**
first-rate	*de première qualité,* **24**
fist	*poing,* **168**
fit (to) (to smth)	*adapter, ajuster,* **36**
fizz (to)	*pétiller,* **124**
flail (to)	*battre, flageller,* **190**
flap (to)	*claquer doucement,* **130**
flashy	*voyant, clinquant,* **182**
flat	*à plat,* **170**
flee (to)	*s'enfuir, se sauver,* **40, 44**
flesh	*la chair,* **58**
flicker (to)	*vaciller, clignoter,* **38**
fling (to)	*tirer d'un grand coup,* **124**
flip (to)	*donner une chiquenaude,* **34**
float (to)	*flotter,* **174**
floating	*flottant, battant,* **122**
flop (to)	*tomber mollement,* **166**
flourish (to)	*faire un grand geste,* **124**
flow (to)	*couler,* **172**
flush (to)	*s'engouffrer,* **12**
	rougir, **96**
flutter (to)	*palpiter, battre,* **82**
fly	*mouche,* **64**
focus (to)	*converger, concentrer,* **106**
fold (to)	*plier, replier,* **56**
foliage	*feuillage,* **190**
folks	*gens, personnes,* **146**
fondle (to)	*caresser, câliner,* **60**
fool	*stupide, fou,* **58**

footprints	*empreintes de pas*, **82**
for fun	*par jeu, par plaisir*, **54**
for want of	*par manque de*, **48**
forearms	*avant-bras*, **64**
forelegs	*pattes de devant*, **64**
forever	*éternellement*, **50, 54**
forfeit (to)	*perdre* (somme, contrat), **66**
forgotten	*oublié*, **122**
form	*formulaire*, **94**
forth	*en avant*, **93, 164**
foul	*abject*, **16**
fountain	*fontaine, jet d'eau*, **154**
franchise	*concession, patente*, **46**
frantically	*frénétiquement*, **118**
freedom	*liberté*, **22**
freeze (to)	*figer*, **28**
	congeler, **126**
fresh	*nouveau, récent*, **12, 40**
fresh-cut	*fraîchement coupé*, **190**
friendship	*amitié, camaraderie*, **40**
frighten (to)	*effrayer, faire peur*, **16**
froth	*écume, mousse*, **118**
frown (to)	*froncer les sourcils*, **14**
full	*plein*, **42**
fumble (to)	*fouiller, farfouiller*, **72**
fungus	*moisissure*, **156**
fur	*fourrure*, **174**
furniture	*les meubles*, **160**
further on	*plus loin, plus tard*, **50**

G

game	*gros gibier*, **42**
	jeu, **164**
gape (to)	*béer, rester grand ouvert*, **56**
gaping	*béant*, **56**
garbage	*les détritus, les ordures*, **68**
garment	*vêtements*, **180**
gather (to)	*se rassembler*, **180**
gauze	*gaze de coton*, **62**
gently	*doucement, légèrement*, **92**
gesture (to)	*indiquer de la main*, **106**
ghost	*fantôme*, **126**
giggle (to)	*se trémousser*, **144**
glad	*content*, **94**
glance (to)	*jeter un coup d'œil*, **38**
glassy	*vitreux*, **96**
gleam	*lueur, rayon*, **56**
glide (to)	*glisser*, **58**

glint (to)	*briller comme du métal,* **102**
glorious	*éclatant, radieux,* **40**
glow (to)	*briller d'un éclat sombre,* **102**
gobble (to)	*glouglouter,* **26**
grab (to)	*empoigner, saisir,* **58**
graft (fam.)	*pot-de-vin,* **46**
grandson	*petit-fils,* **48**
grasshopper	*sauterelle, criquet,* **32**
grief	*douleur, peine,* **26**
grievance	*plainte, réclamation,* **28**
grip (to)	*saisir, serrer,* **132**
grit one's teeth	*grincer des dents,* **160**
grouse (to)	*se plaindre, rouspéter,* **24**
grow (to)	*pousser, croître,* **20, 180**
growth	*croissance, pousse,* **180**
guarantee	*garantie, assurance,* **38**
guest	*invité, hôte,* **94**
gush	*jet, giclée,* **62**
guts	*tripes, entrailles,* **74**
guy (US)	*type, mec,* **18**

H

hack (to)	*hacher, couper à la hache,* **154**
hair	*les cheveux,* **50, 142**
hammer	*marteau,* **82**
hammer (to)	*marteler, frapper,* **168**
hand over (to)	*tendre,* **94**
handkerchief	*mouchoir,* **140**
hang up (to), (phone)	*raccrocher,* **130**
happen (to)	*arriver, se passer,* **22**
hard, adv.	*durement, fortement,* **158**
harden (to)	*durcir,* **122**
harvest	*moisson, récolte,* **50**
haul (to)	*remorquer, traîner,* **118**
headache	*migraine,* **158**
heading	*cap, direction,* **136**
headless	*écervelé, étourdi,* **28**
health	*santé,* **30**
healthy	*en bonne santé, puissant,* **50**
heart	*cœur,* **168**
heave (to)	*soulever avec peine,* **132**
heavily	*lourdement, intensément,* **170**
heavy	*intense, fort,* **158**
hell	(juron) *enfer, bon sang,* **18**
helmet	*casque,* **42, 50**
help (to)	*aider, seconder, secourir,* **30**
helplessness	*impuissance,* **60**

hide (to)	*cacher, dissimuler,* **32, 60**
hilltop	*sommet de colline,* **82**
hip belt	*ceinturon,* **80**
hiss (to)	*siffler,* **58**
hit (to)	*heurter, frapper,* **62**
hold on (to)	*tenir bon, s'accrocher,* **178**
hole	*trou,* **170**
hollow	*creux,* **126**
honk (to)	*klaxonner,* **142**
hook	*crochet, patère,* **136**
horn	*corne, klaxon,* **142**
hot	*brûlant,* **82**
hound	*chien de chasse,* **26**
howl (to)	*hurler longuement,* **42**
huckleberries	*myrtilles,* **118**
huddled	*entassés, empilés,* **104**
hull	*coque d'un navire,* **114**
hum (to)	*chantonner,* **12** *bourdonner,* **122**
hunger	*faim,* **168**
hungry (to be)	*être affamé,* **168**
hunt (to)	*chasser,* **44**
hurl (to)	*lancer violemment,* **166**
hurry (in a)	*très excité,* **78**
hurry (to)	*se dépêcher, faire vite,* **78**

I

idle one's time	*paresser,* **160**
idly	*nonchalamment,* **128**
ignore (to)	*ne pas tenir compte de,* **14**
ill-mannered	*mal élevé,* **86**
imbalance	*déséquilibre,* **50**
impossible	*invraisemblable,* **138**
in the field	*en tournée,* **20**
in touch	*en contact, relié avec,* **20**
inconsiderate	*impoli,* **86**
indiscriminate	*indéfinissable,* **142**
induce (to)	*pousser à, induire,* **114**
inflate (to)	*gonfler,* **158**
insane	*fou, aliéné,* **106**
instead of	*au lieu de,* **116**
intend (to)	*avoir l'intention de,* **64**
interlocked	*relié, entrelacé,* **128**
introduce (to)	*présenter,* **100**
involved (to be)	*être impliqué,* **30**
iron	*fer, métal,* adj. *de fer,* **74**
island	*île,* **170**

issue to (forth) *émettre, produire,* **164**
item *article, élément,* **114**

J

jangle (to) *faire des bruits discordants,* **26**
jaw *mâchoire,* **118**
jerk (to) *donner des secousses,* **60**
jewels *bijoux, diamants,* **182**
jingle *ritournelle,* **26**
joke (to) *plaisanter,* **40**
journey *voyage,* **52**
jovial *bon vivant,* **108**
jump out (to) *bondir, jaillir,* **122**
junkman *éboueur,* **118**

K

keyhole *trou de serrure,* **28**
kick (to) *donner un coup de pied,* **14, 122**
kid (US) *gamin,* **54**
kind *sorte, espèce,* **46**
kitchen *cuisine,* **130**
knee *genou,* **44**
knives *couteaux,* **12**
knock down (to) *assommer,* **100**

L

ladder *échelle,* **114**
lake *lac,* **160**
land (to) *atterrir, amérir,* **88**
lash (to) *fouetter, cingler,* **60, 62**
latter (the) *le dernier* (nommé), **52**
laughter *rire,* **138**
lay (to) (plans) *tirer des plans,* **26**
lead (to) *mener à,* **64**
lean *maigre, mince,* **84**
leap (to) *sauter, bondir,* **40, 160**
leather *cuir,* **164**
leave be (to) *laisser tranquille,* **184**
leave it to her *compte sur elle,* **134**
leave (to) *laisser, quitter,* **52**
leaves *feuilles,* **160**
lecture (to) *donner une conférence,* **94**
leftovers *les restes,* **28**
level (to) *se mettre à niveau avec,* **60**
lever *évier,* **60**
library *bibliothèque,* **84**

license (to)	*délivrer un permis,* **66**
lie	*mensonge,* **154**
lifetime	*toute une vie,* **54**
lift (to)	*lever, soulever, élever,* **56**
lighter	*briquet,* **162**
lightly	*légèrement,* **168**
lightning	*éclair, foudre,* **164**
limp	*mou, affaissé,* **60**
link	*maillon, chaînon, lien,* **46**
lips	*lèvres,* **142**
list (to)	*inventorier,* **132**
load (to)	*charger,* **124**
lock (to)	*se fermer à clé,* **32**
log	*bûche,* **180**
loins	*le bas du dos, les reins,* **48**
loneliness	*solitude,* **124**
longing for	*désirer ardemment,* **86**
longingly	*ardemment,* **88**
loud, adv.	*bruyamment,* **74**
lousy	*sale, moche,* **168**
lovely	*charmant, merveilleux,* **114**
luck	*chance,* **44**
lucky	*chanceux, veinard,* **40**
lunge (to)	*plonger en avant,* **60**
lungs	*poumons,* **38**
luridly	*grossièrement,* **82**

M

main	*principal,* **142**
malfunction (to)	*disfonctionner,* **64**
manage (to)	*réussir, parvenir à,* **190**
mangled	*mutilé, estropié,* **24**
marry (to) (sbd)	*épouser qqn,* **124**
match	*égal, parti,* **60**
mate (to) (with)	*s'unir,* **12** *s'accoupler,* **52**
material	*matière, matériau,* **32**
matter	*sujet, question,* **184**
mauled	*malmené, meurtri,* **18**
mean (to)	*signifier, vouloir dire,* **46**
meaning	*sens, signification,* **16**
meanness	*petitesse, avarice,* **92**
meeting	*rencontre,* **52**
memory	*mémoire,* **154**
men's room	*toilettes hommes,* **20**
mess	*saleté, gâchis, désordre,* **52**
midnight	*minuit,* **14, 138**
mind	*esprit,* **114**

mind (to)	*s'occuper de*, **16**
mirror (to)	*se refléter dans*, **60**
misery	*misère, calvaire*, **116**
miss (to)	*manquer, rater*, **52**
mist	*brume, brouillard*, **56**
mistake (to)	*se méprendre sur*, **60**
mizzle	*crachin, grésil*, **154**
moan	*gémissement*, **74**
monstrous	*monstrueux, gigantesque*, **162**
moonlight	*clair de lune*, **138**
mooring	*ancrage, point d'attache*, **64**
moss	*mousse*, **174**
mostly	*surtout*, **160**
motion	*mouvement*, **60**
motion (to)	*faire signe* (d'avancer), **188**
mouth (to)	*articuler*, **102**
movie (US)	*film*, **144**
mumble (to)	*marmonner*, **118**
murderer	*assassin, meurtrier*, **14, 16**
muse (to)	*rêvasser, méditer*, **128**
mutter (to)	*marmonner, murmurer*, **82**

N

narrow	*étroit*, **64**
nearby	*à proximité*, **82**
neat	*petit et joli, propret*, **140**
neck	*cou*, **60**
never mind	*tant pis, peu importe*, **130**
nevertheless	*néanmoins, cependant*, **112**
newly	*nouvellement*, **170**
next (to)	*près, à côté de*, **68**
nicely	*complètement, totalement*, **12**
nightmare	*cauchemar*, **62**
nighttime	*la période nocturne*, **106**
nod (to)	*faire un signe de tête*, **12**
noise	*bruit*, **62**
noon	*midi*, **20**
nostrils	*narines*, **182**
notice (to)	*remarquer*, **102**
novel	*roman*, **26**
now and again	*de temps en temps*, **94**
now now	*tantôt... tantôt*, **30, 142**
numb	*engourdi, gourd*, **60**
nut	*écrou*, **114**

O

obediently	*docilement*, **94**

obvious | *évident, clair*, **172**
occasionally | *à l'occasion*, **124**
oddness | *bizarrerie, étrangeté*, **70**
of late | *récemment*, **30, 170**
off balance | *en déséquilibre*, **64**
on purpose | *exprès, volontairement*, **28**
on top of | *sur, dessus*, **126**
once in a while | *de temps en temps*, **126**
oven | *four*, **80**
overhead | *au-dessus, par-dessus*, **64**
owner | *propriétaire*, **126**

P

pace | *cadence, rythme*, **172**
pad | *coussin*, **42**
| *carnet*, **20**
padded | *rembourré*, **42**
paddles | *pagaies, rames*, **158**
pallid | *décoloré, pâle*, **142**
panic | *panique*, **24**
paper | *rapport, article*, **116**
paranoids | *paranoïaques*, **106**
pat (to) | *tapoter*, **148**
patch | *tache, trace*, **52**
path | *chemin, sentier*, **46**
pathway | *passerelle*, **44, 62**
patient | *malade, client*, **14**
pattern | *ligne générale, esquisse*, **24**
pay for (to) | *payer qqch.*, **124**
pebble | *galet, pierre ronde*, **56**
peep (to) | *regarder à la dérobée*, **142**
peer (to) | *regarder les yeux plissés*, **142**
penalty | *amende, pénalité*, **38**
percieve (to) | *saisir, percevoir*, **116**
perhaps | *peut-être*, **48**
phrase | *expression, tournure*, **20**
pick on (to) | (fam.) *agacer*, **146**
pick up (to) | *ramasser, soulever*, **56**
picket (to) | *faire le piquet de grève*, **24**
pinch (to) | *pincer*, **144**
plain | *évident, flagrant*, **84**
play (to) (a record) | *passer un disque*, **144**
playfully | *gaiement, en badinant*, **54**
plead (to) | *supplier*, **74**
plug up (to) | *boucher, obturer*, **176**
point out (to) | *faire remarquer*, **110**
point (to) | *montrer du doigt*, **46**
pole | *poteau, pylône*, **130**

polished *ciré, astiqué, encaustiqué*, **106**
poll *sondage d'opinion*, **18**
pool *flaque, mare*, **160**
pop open (to) *s'ouvrir d'un coup sec*, **142**
pour (to) *verser*, **18**
  downpour *averse*, **154**
pout (to) *faire une moue*, **184**
powdery *poudreux*, **182**
practical *logique*, **24**
  pratique, **30**
preen (to) *se redresser, se rengorger*, **102**
pretty, adv. *assez, plutôt*, **110**
print *une empreinte*, **50**
private *intime, personnel*, **30**
proceed (to) *continuer*, **128**
promise *promesse*, **28**
pronounce (to) *déclarer*, **58**
proper (adv., fam.) *complètement*, **106**
property *propriété, biens*, **28**
prove (to) *faire la preuve de*, **106**
provide for (to) *pourvoir aux besoins*, **170**
psychotics *psychopathes*, **106**
puddle *flaque d'eau*, **160**
puff *bouffée d'air*, **82**
puncture *trou, crevaison*, **174**
purpose *but, intention, raison d'être*, **46**
purposely *volontairement, exprès*, **28**
purr (to) *ronronner*, **28**
push a bill (to) *faire passer une loi*, **170**
put up (to) *accommoder, loger*, **134**
putter around (to) *bricoler*, **134**
puzzled *étonné, intrigué*, **186**

Q

quarter (US) *25 cents*, **124**
quaver (to) *trembloter*, **38**
quiet *repos, tranquillité*, **168**
quite *tout à fait*, **106**
quiver (to) *trembloter*, **64**

R

race (to) *filer à toute allure*, **132**
raindrops *gouttes de pluie*, **182**
raise (to) *élever, lever*, **56**
rare *saignant (bifteck)*, **144**
rather *plutôt*, **18, 176**
rave (to) *divaguer, délirer*, **112**

raw	*cru, non cuit,* **58**
ready	*prêt,* **54**
recall (to)	*rappeler, se souvenir,* **176**
receiver	*récepteur,* **128**
recline (to)	*incliner,* **188**
record (to)	*enregistrer,* **132, 136**
recording	*enregistrement,* **132**
recur (to)	*se renouveler,* **106**
regard (to)	*regarder avec respect,* **88**
relax (to)	*se relâcher, se reposer,* **174**
release	*décharge, libération,* **42**
release (to)	*libérer, relâcher,* **64**
reluctant	*peu disposé à, réticent,* **84**
remainder	*reste, reliquat,* **34**
remain (to)	*rester, demeurer,* **34**
remit (to)	*rendre, rembourser,* **58**
remote	*isolé, solitaire,* **60, 124**
rent (to)	*déchirer, fendre,* **22**
representatives	*officiels,* **94**
repulse (to)	*repousser, faire horreur,* **12**
rescue	*sauvetage,* **176**
resilient	*élastique, souple,* **56**
restrained	*contraint,* **142**
revoke (to)	*annuler, révoquer,* **66**
ride (to)	*circuler,* **22**
rifle	*fusil, carabine,* **54**
right away	*tout de suite,* **94**
right now	*à l'instant,* **94, 130**
right off	*aussitôt,* **84, 172**
right on	*dans le mille,* **64**
ringing	*tintement,* **166**
	sonnerie, **132**
ring up (to)	*appeler qqn au téléphone,* **134**
riot (to)	*déclencher une émeute,* **24**
roadside	*bord de la route,* **138**
roar	*mugissement, rugissement,* **164**
rocket	*fusée,* **112**
rod	*baguette, barre, tringle,* **192**
rollicking	*exubérant, tapageur,* **100**
rope	*corde, cordage,* **56**
rub (to)	*frotter (l'un contre l'autre),* **20**
rubber	*caoutchouc,* **114**
rubbery	*souple, élastique,* **182**
ruin (to)	*détruire, ruiner,* **64**
rulings	*règlements, réglementation,* **24**
rummage (to)	*fourrager, fouiller,* **94**
run (to) (a record)	*passer un disque,* **144**
run off (to)	*s'enfuir, se sauver,* **66, 94**
rustle	*bruissement,* **50**

S

sadness — *tristesse*, **86**
safety — *sécurité, sûreté*, **60**
safety catch — *cran d'arrêt*, **54**
sag (to) — *pocher, pendre*, **118**
save — adv., *à part, sauf*, **56**
save (to) — *sauver*, **168**
scale — *échelle, rapport*, **48, 158**
scare (to) — *effrayer, épouvanter*, **16**
schedule (to) — *programmer, prévoir*, **64**
scissors — *ciseaux*, **154**
scorched — *carbonisé*, **122, 168**
scrabble (to) — *chercher frénétiquement*, **74**
scramble (to) — *embrouiller, brouiller*, **24**
scream — *cri, hurlement*, **148**
search (to) — *fouiller, chercher*, **140**
seat (to) (yourself) — *asseyez-vous*, **84, 90**
second thought (on) — *à y repenser*, **134**
secondary — *secondaire*, **108**
seed — *graine, semence*, **40**
sense of humor — *sens de l'humour*, **112**
serenely — *sereinement*, **34**
set (to) — *poser, disposer, placer*, **100**
set out (to) — *se mettre en route*, **136**
several — *plusieurs*, **140**
sewing — *couture*, **80**
shade — *une teinte, un reflet*, **142**
shadow — *ombre*, **102**
shamefully — *honteusement*, **124**
sharply — *sèchement*, **52**
shave (to) — *raser, tondre*, **154**
sheathed — *gainé, dans un fourreau*, **56**
shed (to) — *verser*
(shed light) — *éclairer*, **14**
sheer — *total, absolu, pur*, **24**
shift (to) — *changer (place, état)*, **82, 106**
shimmer (to) — *miroiter*, **82**
ship — *navire, vaisseau*, **86, 88, 162**
shiver (to) — *frissonner*, **64**
shoot (to) — *faire feu, tirer sur*, **42**
shore — *rivage*, **160**
shot — (fam.) *lampée*, **20**
coup de feu, **54**
shoulder — *épaule*, **100**
shovel — *pelle*, **64**
shower — *douche*, **160**
averse, **160**
shrink (to) — *rétrécir*, **154**

shrug (to) — *hausser les épaules*, **156**
shudder (to) — *frissonner*, **68, 162**
shuffle (to) — *traîner les pieds*, **14, 23**
sickening — *écœurant*, **62**
sidewalk (US) — *trottoir*, **20**
sideways — *de côté, latéralement*, **60**
sigh — *soupir*, **56**
sight — *la vue*, **188**
sign — *affiche, panneau*, **38**
silly — *stupide*, **124**
single — *unique*, **156**
sink — *évier*, **16**
size — *taille, grandeur*, **160**
sizzle (to) — *grésiller, frire*, **28**
skeleton — *squelette*, **168**
skin — *la peau*, **56, 164**
skull — *le crâne*, **176**
slap — *une gifle*, **108**
slap (to) — *claquer, gifler*, **108**
slay (to) — *assassiner, massacrer*, **12**
sleepwalker — *somnambule*, **68**
sleigh — *luge*, **180**
slight — *léger, ténu, subtil*, **50**
slime — *boue, vase*, **58**
slow — *lent*, **130**
slump — *avachi*, **154**
slush — *neige fondue, fange*, **190**
sly — *sournois, malin*, **146**
smokes — *fumées, fumerolles*, **164**
smooth — *lisse, étale*, **158**
smudge — *salissure, noircissure*, **190**
snake — *serpent*, **38**
snake (to) — *serpenter*, **38**
snap (to) — *claquer des doigts*, **64**
sneeze (to) — *éternuer*, **182**
snort (to) — *ricaner*, **48**
snug — *à son aise*, **176**
snuggle (to) — *se pelotonner*, **144**
so far — *jusqu'à présent*, **24**
soapsuds — *poudre à laver*, **18**
soar (to) — *s'élever, s'envoler*, **54**
soggy — *trempé*, **158, 176**
soil — *sol*, **160**
solemn — *solennel*, **98**
solid — *compact, dense*, **154**
solitary — *solitaire*, **104**
somehow — *en quelque sorte*, **162**
soothed — *calmé, apaisé*, **116**
sorcerer — *sorcier*, **108**

sore	*douloureux, endolori,* **178**
sound	*bruit,* **38, 74, 192**
sound (to)	*sembler (à l'oreille),* **106**
southward	*vers le sud,* **178**
space	*espace,* **102**
sparkle (to)	*étinceler,* **14**
species	*famille, espèce, race,* **46**
speech	*discours, laïus,* **100**
spider	*araignée,* **92**
spit (to)	*cracher,* **94, 184**
splash (to)	*éclabousser,* **160**
spleen	*rate,* **62**
split	*fente, fissure,* **166**
spoil (to)	*gâter, abîmer,* **28**
spool	*bobine,* **134**
spoon (to)	*remplir à la cuiller,* **22**
spring (to)	*jaillir, bondir,* **48**
sprinkle (to)	*saupoudrer,* **12**
spurt	*jaillissement, poussée,* **30, 62**
squat (to)	*s'accroupir,* **94**
squeeze (to)	*étreindre, presser,* **128**
squint (to)	*regarder de biais,* **86**
squirrel	*écureuil,* **24**
staff	*mât, pilier,* **106**
stamp (to)	*taper (écraser) du pied,* **48**
stand (to)	*se tenir debout,* **166**
stare (to)	*fixer des yeux,* **14, 102**
starlight	*la clarté des étoiles,* **138**
stars	*les étoiles, les astres,* **138**
start over (to)	*recommencer,* **88**
starve (to)	*(être) affamé,* **48**
steadily	*régulièrement, fermement,* **140**
steam (to)	*émettre de la buée, fumer,* **154**
steel	*acier, métal,* **16, 36**
stench	*puanteur,* **58**
step, (to take a)	*avancer d'un pas,* **108**
step aside (to)	*se déplacer, se ranger,* **52**
stick out (to)	*faire sortir, dépasser,* **98**
stiff	*raide, dur,* **42**
stiffen (to)	*se redresser,* **64**
stiffly	*sévèrement, avec raideur,* **98**
still	*calme, silencieux,* **82**
stink (to)	*sentir mauvais, puer,* **58**
stippled	*éclaboussé,* **156**
stir (to)	*remuer, mouvoir,* **106**
stomp (to)	*frapper du pied, piétiner,* **20, 48**
stone	*la pierre, une pierre,* **56, 164**
stoop (to)	*se baisser,* **98**
store	*magasin,* **142**

store (to)	*ranger, conserver,* **160**
story	*histoire, conte,* **184**
stove	*fourneau, cuisinière,* **26, 132**
straight off	*aussitôt,* **84**
strain	*contraint, tendu,* **130**
stranger	*étranger,* **18**
strangle (to)	*étouffer, étrangler,* **16**
stream	*fleuve,* **160**
stretch (to)	*tendre, allonger,* **44**
stride (to)	*avancer à grands pas,* **56**
strike (to)	*s'engager dans,* **126**
stuff (to)	*fourrer, bourrer,* **32**
stunned	*ahuri, abruti, drogué,* **12, 100**
subside (to)	*se calmer, diminuer,* **168**
successful	*réussi, couronné de succès,* **52**
sudden	*soudain, brusque,* **30**
suggest (to)	*suggérer,* **24**
sunlit	*éclairé par le soleil,* **58**
sunset (at)	*au coucher du soleil,* **138**
sunshine	*lumière, éclat du soleil,* **30**
suspicious	*soupçonneux,* **112**
swallow (to)	*avaler,* **16, 144**
swamp	*marécage, marais,* **46**
swarm (to)	*s'agglutiner, grouiller,* **12**
sway (to)	*vaciller,* **190**
sweat (to)	*transpirer,* **142**
sweet	*doux, tendre,* **138**
sweeten (to)	*embaumer, adoucir,* **40**
swiftly	*rapidement, prestement,* **100, 164**
swing (to)	*se balancer,* **52, 148**
switch on	*allumer,* **182**
sword	*épée,* **12**

T

tactile	*tactile, du toucher,* **110**
tail	*queue d'un animal,* **58**
taint	*tache, salissure,* **70**
take advantage of (to)	*profiter de,* **30**
take root (to)	*s'enraciner,* **180**
tale	*récit, conte,* **24**
tall	*grand, haut,* **86**
tangle (to)	*emmêler, embrouiller,* **38**
tap (to)	*tapoter du doigt,* **112**
taste	*le goût,* **114**
tear (to)	*déchirer,* **62, 142**
tears	*larmes,* **86, 100**
teem (to)	*grouiller,* **50**
tell (to)	*raconter, relater,* **88**

temptingly	*avec attrait, séduction,* **18**
thaw (to)	*décongeler, faire fondre,* **118**
theater (US)	*cinéma,* **126**
thigh	*cuisse,* **56**
thimble	*dé à coudre,* **26**
thin	*mince, peu épais,* **132**
thoughtless	*étourdi, irréfléchi,* **54**
threaten (to)	*menacer,* **52**
throat	*gorge,* **100**
throttle (to)	*étrangler, juguler,* **48**
through	*d'un bout à l'autre,* **94**
thrust	*poussée,* **82**
thunder	*tonnerre,* **38**
thunderous	*retentissant, tonnant,* **100**
tight	*serré, tendu, raide,* **44, 176**
tighten (to)	*serrer, resserrer,* **178**
time	*époque, moment de l'année,* **44**
tingling	*qui fourmille,* **192**
tinkle (to)	*faire un bruit cristallin,* **16**
tiny	*minuscule,* **140**
tip	*pourboire,* **124**
tired	*fatigué,* **178**
tongue	*langue,* **182**
tonnage	*poids d'une tonne,* **60**
toss (to)	*jeter, lancer en l'air,* **124**
tow (to)	*remorquer, tirer,* **154**
toy	*jouet,* **30, 94**
track	*piste, trace,* **54**
trail	*piste, trace,* **54**
transmitter	*émetteur-récepteur,* **22**
travel	*trajet, déplacement,* **102**
tremendously	*énormément, furieusement,* **100**
trifle	*un soupçon, un rien,* **26**
trip	*trajet,* **88**
trouble	*ennui,* **110**
try (to)	*essayer,* **188**
tunnel (to)	*s'enfoncer dans le sol,* **154**
turkey	*dinde, dindon,* **26**
turn (to) + adj.	*devenir* + adj., **40**
twiddle (to)	*tortiller,* **82**
twinkle (in a)	*en un rien de temps,* **24**
twist (to)	*tordre,* **190**

U

unaware	*ignorant, non informé,* **174**
unblinking	*impassible,* **184**
unborn	*en gestation, pas encore né,* **48**
underneath	*en dessous,* **64**

uneasily — *avec gêne, inquiétude,* **86**
unhurt — *sain et sauf,* **164**
unlock (to) — *déverrouiller,* **12, 32**
unreasonable — *déraisonnable,* **66**
unsuccessfully — *sans succès,* **12**
untie (to) — *dénouer, délier,* **145**
until — *jusqu'à ce que,* **168**
up there — *là-bas,* **82**
uproar — *acclamation, huée,* **20**
upset (to) — *bouleverser,* **72**
upstairs — *à l'étage,* **12, 82**
urge (to) — *inciter à,* **62, 92**

V

vanguard — *précurseur, avant-garde,* **30**
vanish (to) — *disparaître,* **40, 110**
vaporous — *vaporeux,* **94**
vault — *voûte,* **174**
vines (US) — *plantes grimpantes,* **168**

W

wail (to) — *se plaindre,* **150**
walnut — *noix,* **14**
wand — *baguette,* **110**
wander (to) — *se promener,* **126**
warily — *sur ses gardes,* **58**
warm — *chaud,* **18**
warmth — *chaleur,* **138**
warn (to) — *avertir, prévenir,* **108**
warrior — *guerrier, combattant,* **56**
wash away (to) — *engloutir,* **12**
watch for (to) — *attendre, guetter,* **30**
watery — *humide, mouillé,* **94**
wave (to) — *faire signe, gesticuler,* **100**
wax — *cire,* **168**
wax and wane (to) — *croître et décroître,* **104**
way (on his) — *prêt à partir,* **94**
weak — *faible,* **114**
weakling — *un faible, un minable,* **74**
weapon — *arme,* **114**
wear (to) — *porter un vêtement,* **50**
weary — *fatigué,* **138**
weather-report — *bulletin météo,* **26**
wedding — *mariage,* **148**
weigh (to) — *peser, soupeser,* **58**
weight — *poids, masse,* **66**
weird — *étrange, bizarre,* **86**

welcome (to)	*accueillir*, **106**
well	*un puits*, **184**
wheat	*blé, froment*, **24**
wheels	*les roues*, **20**
on wheels	*en beauté*, **20**
whenever	*chaque fois que*, **78**
wherever	*partout où*, **58**
whether	*si*, **50, 52**
whine (to)	*pleurnicher*, **28**
whip (to)	*fouetter*, **164**
whirl (to)	*tourbillonner*, **190**
whisper	*murmure, chuchotement*, **138**
whistle	*sifflet*, **70**
whoever	*quiconque*, **78**
whole	*tout entier, complet*, **22**
whoop (to)	*pousser des cris aigus*, **28**
widow	*veuve*, **12**
wiggle (to)	*tortiller*, **92**
wild	*fou, sauvage*, **26, 164**
wilderness	*étendue sauvage, jungle*, **46**
wildly	*comme un fou, hors de soi*, **118**
win (to), won, won	*gagner*, **40**
wince (to)	*faire une grimace*, **102**
window	*devanture, vitrine*, **144**
window sill	*appui, rebord de fenêtre*, **86**
windstorm	*tempête*, **60**
wings	*ailes d'oiseaux, d'avion*, **54**
wink (to)	*faire un clin d'œil*, **100**
wipe (to)	*essuyer*, **62**
wire (on the)	*sur les ondes*, **20**
wires	*fils d'acier, électriques*, **14, 38**
wish (to)	*désirer*, **104**
within	*à l'intérieur*, **62**
wives	*épouses*, **24**
womb	*matrice, utérus, giron*, **48**
wonder	*émerveillement, merveille*, **108**
wonderful	*magnifique, merveilleux*, **138**
wooden	*en bois*, **104**
world	*le monde*, **32, 54**
worldwide	*dans le monde entier*, **30**
worry about (to)	*se préoccuper de*, **32, 42**
worst (the)	*le, la pire*, **40**
wounded	*blessé*, **180**
wrap (to)	*envelopper, emballer*, **168**
wrecked	*endommagé, détruit*, **64**
wrench (to)	*tordre*, **62**
wrinkles	*les rides*, **154**
wrist	*le poignet*, **18**
wrong (to be)	*ne pas aller*, **14**

Y

yard	*un yard (91,44 cm)*, **56**
yank (to)	*tirer d'un coup violent*, **172**
yawn (to)	*bâiller*, **88**
yell (to)	*crier, hurler*, **20**
yellowish	*jaunâtre*, **94**
yet	*encore*, **156**
	cependant, pourtant, **28**

IMPRIMÉ EN FRANCE PAR BRODARD ET TAUPIN
Usine de La Flèche (Sarthe), le 06-11-1989.
6600B-5 - Dépôt légal : novembre 1989.

PRESSES POCKET - 8, rue Garancière - 75006 Paris
Tél. 46.34.12.80